Deseo™

Corazón herido

NATALIE ANDERSON

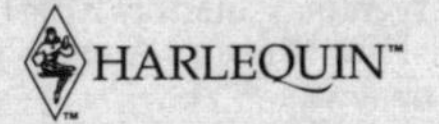

Editado por HARLEQUIN IBÉRICA, S.A.
Núñez de Balboa, 56
28001 Madrid

CORAZÓN HERIDO, N.º 1784 - 27.4.11
Título original: Pleasured by the Secret Millionaire
Publicada originalmente por Mills & Boon®, Ltd., Londres.

I.S.B.N.: 978-84-671-9978-9
Depósito legal: B-6765-2011
Editor responsable: Luis Pugni
Preimpresión y fotomecánica: M.T. Color & Diseño, S.L.
C/ Colquide, 6 portal 2 - 3º H. 28230 Las Rozas (Madrid)
Impresión en Black print CPI (Barcelona)
Fecha impresion para Argentina: 24.10.11
Distribuidor exclusivo para España: LOGISTA
Distribuidor para México: CODIPLYRSA
Distribuidores para Argentina: interior, BERTRAN, S.A.C. Vélez Sársfield, 1950. Cap. Fed./ Buenos Aires y Gran Buenos Aires, VACCARO SÁNCHEZ y Cía, S.A.
Distribuidor para Chile: DISTRIBUIDORA ALFA, S.A.

Capítulo Uno

La ciudad de Sidney: sol, playa y compras. Lo único que faltaba era el sexo.

Sienna sonrió mientras se abría paso entre los hermosos cuerpos tirados en la playa, la arena caliente quemando las plantas de sus pies.

Si alguna vez volvía al médico, aquélla sería la única receta que seguiría: una semana de vacaciones para prepararse antes de su gran aventura. La primera vez que nadie sabía nada sobre su salud o su historia, el nuevo comienzo que llevaba esperando toda su vida.

Se detuvo para dejar pasar a una pareja, intentando no envidiar el diminuto biquini rojo de la mujer, que revelaba más de lo que escondía. Y tenía el cuerpo y la audacia necesarios para ponérselo. Sienna no tenía ninguna de esas cosas. No quería las miradas, la mal escondida curiosidad o compasión. No quería especulaciones, punto. De ahí que llevase una camiseta de cuello alto. Pero la minifalda era más mini que falda. Y sí, se había dado cuenta de que algunos hombres la miraban. Pero, como siempre, ella no prestaba atención. Y nunca mostraría su escote como lo hacía aquella mujer.

Irritada, aceleró el paso. ¿Cómo iba a terminar con su lista de propósitos para el nuevo año si no

era capaz de sostener la mirada de un extraño durante un segundo?

De repente, sintiéndose melancólica, cruzó el paseo marítimo para ir a la zona de pubs, restaurantes y cafés. ¿No era su resolución para el nuevo año vivir la vida al máximo? Tal vez debería ir a bailar con las chicas a las que había conocido en el hostal por la noche. Al menos, podría ver cómo ellas lo pasaban bien. Pero eso era de lo que estaba harta: de quedarse a un lado, incapaz de participar de la diversión.

Allí no había nadie que le dijera que no debía hacerlo, que no podía hacerlo. Pero tampoco había nadie que le dijera que podía y debía.

Ojalá Lucy estuviera allí, esa loca amiga que tenía valor y corazón para todo. La persona que la había hecho reír a pesar de sus penas durante esos años.

Pero quería hacerlo sola porque tenía que demostrarse a sí misma que era capaz de hacerlo. Sólo entonces lo creería y sólo entonces haría que los demás lo creyesen también.

Sienna miró su reloj. Eran más de las cuatro y la gente había salido de los restaurantes para volver al trabajo... bueno, todos salvo los turistas. El restaurante y el café a unas manzanas del hostal tenían sus puertas abiertas para dejar entrar un poco de brisa en el caluroso día de Sidney, con una tormenta de verano a punto de estallar. Y esperaba que llegase pronto porque ella no estaba acostumbrada a ese aire irrespirable.

Entonces oyó que alguien estaba tocando la ba-

tería y un acorde de guitarra eléctrica, seguido de una voz masculina:

–Uno, dos, tres…

Estaban probando sonido.

De repente, Sienna se sintió como en casa y, sin pensar, entró en un bar que estaba cerrado para los clientes. Había cuatro tipos sobre un escenario, todos con pantalones cortos y camisetas. Sienna se quedó apoyada en una columna, disfrutando de la brisa de los ventiladores del techo y mirando al batería con cara de envidia.

–Lo siento, no puede estar aquí. El bar no ha abierto todavía.

Con desgana, Sienna apartó la mirada del batería para mirar al hombre que se dirigía a ella. Y parpadeó, varias veces, para intentar concentrar la mirada. Dios santo. ¿De verdad había hombres así? Era la clase de hombre que haría que una mujer se pusiera a hacer ejercicios pélvicos porque, con toda seguridad, seguirle el ritmo en el dormitorio requeriría un esfuerzo extra.

Sienna se puso tensa, especialmente en la zona pélvica.

Unos ojos grises con puntitos verdes estaban clavados en ella, rodeados por largas pestañas y cubiertos por unas cejas oscuras. Una buena combinación. Pero fue su boca lo que la hizo tragar saliva. Tenía los labios más generosos y sensuales que había visto en un hombre.

Sienna parpadeó de nuevo antes de apartar la mirada. Pero se había fijado en lo que llevaba puesto: un pantalón de surf y una camiseta sin mangas.

Aunque vestía con aparente despreocupación, el conjunto le quedaba de maravilla.

Sin embargo, fueron sus manos en lo que más se fijó. Tenía los brazos cruzados, esas manos grandes de largos dedos rozando sus bíceps. Y las uñas tan cuidadas como si se hubiera hecho la manicura.

Debía de ser gay, pensó.

Sin poder evitarlo, giró un poco la cabeza... y vio que él la miraba. Y la mirada de censura se había convertido en una de admiración, luz verde, atracción.

No, no era gay.

–¿Le importa si me quedo un rato? –parecía haberse quedado sin voz. Y si seguía mirándola así, no podría formar una sola frase.

«Dios, qué guapo es».

Él seguía mirándola y Sienna le devolvió la mirada, intrigada por saber si el verde de sus ojos se intensificaba o no. Su postura, con los brazos cruzados, destacaba la anchura de sus hombros.

Por fin, el extraño abrió la boca para decir algo, pero el solista se adelantó:

–No pasa nada, Rhys, puede quedarse. ¿Te importa traer el otro amplificador? –el chico parecía haber olvidado que tenía un micrófono en la mano y Sienna dio un respingo. Igual que el guapo extraño.

Rhys, se llamaba Rhys.

Él miró hacia el escenario, como si acabase de recordar dónde estaba. Sienna vio que los dos hombres intercambiaban una mirada, pero no le importó. Llevaba toda su vida con bandas de rock y sabía lo que pensaban que era: una groupie. Pero no lo era, aquel día no. Desde luego, no lo sería para ninguno de los músicos. ¿Sería Rhys el mánager? Nunca había visto uno tan guapo.

Entonces lo vio acercarse a la barra para buscar un amplificador.

El cantante le sonrió.

–Siéntate un rato si quieres, guapa.

Esbozando una sonrisa, Sienna se sentó frente a una de las mesas y estiró las piernas. Podía descansar allí un rato, refrescarse con la brisa de los ventiladores y dejar que el ritmo de la batería la animase un poco.

Dos minutos después, Rhys pasó a su lado con una caja negra que dejó sobre el escenario antes de volver a la barra.

Sienna no podía dejar de mirarlo. Pero no iba a refrescarse en absoluto porque sólo con mirarlo se sentía acalorada.

Mientras intentaba concentrarse en los músicos no podía dejar de mirarlo de soslayo. Él ni siquiera intentaba disimular que la observaba. Estaba de espaldas a la barra, con los brazos cruzados, mirándola fijamente.

Sienna intentó concentrarse en la música y lo consiguió durante unos minutos... pero seguía pensando en aquel hombre guapísimo. Cuando se dio la vuelta para sacar algo de detrás de la barra olvidó que debía disimular y lo siguió con la mirada. Bajo la camiseta era todo músculo, un espécimen masculino perfecto.

Ella, como la mayoría de la gente, sabía apreciar la belleza y aquel hombre era abrumador.

Rhys tomó una botella de agua mineral y, después

de levantarla hacia ella como si hiciera un brindis, tomó un trago.

Con la garganta seca, Sienna se dio cuenta de que tenía sed. Y no necesariamente de agua.

¿Cómo sería besar a aquel hombre?, se preguntó. Sintió un escalofrío, pero intentó calmarse. Su sonrisa burlona la había puesto en guardia. Parecía leer sus pensamientos y, por su expresión, no le parecía mala idea.

De modo que se dio la vuelta para mirar a la banda y esta vez decidió concentrarse sólo en eso. No iba a mirarlo. Aunque lo deseaba.

Era exactamente lo que había estado buscando y jamás esperó encontrar: un hombre que podría llevarse el título de «hombre más sexy del planeta». Un hombre que, con una sola mirada, le decía que era preciosa.

Pero esa mirada cambiaría en el momento que la viera desnuda. La atracción se convertiría en compasión y luego en miedo. Sienna odiaba ver miedo en los ojos de un amante porque no la hacía sentir deseable o normal y, por una vez, sólo por una vez, quería ser normal.

El número uno en su lista de resoluciones para el nuevo año, lo había escrito en su diario esa misma mañana, en la playa. Y esta vez lo decía en serio, iba a llevar a cabo al menos una de sus resoluciones. ¿Podría hacerlo?

Sienna suspiró, tirando del cuello alto de su camiseta. No, imposible. Los amantes se desnudaban y ella no podía hacer eso porque entonces la diversión terminaba y empezaba la compasión.

Intentó concentrarse en el batería pero, de nuevo, tuvo que mirar de soslayo hacia la barra.

Y se llevó una desilusión porque ya no estaba. Se había ido.

Fin de la fantasía.

Pero ella sabía cómo recuperar la alegría porque lo había hecho muchas veces. De modo que se levantó y se dirigió al escenario.

–Lo siento, sé que esto es un poco raro y no pasa nada si decís que no, pero… ¿os importaría dejarme tocar la batería un rato? –Sienna miró a los músicos con el corazón acelerado.

–¿Tocas la batería?

–Sí, pero estoy de vacaciones y llevo algún tiempo sin hacerlo…

Esperaba que no pensaran que era una groupie desesperada. De verdad, lo único que quería era tocar la batería.

–Nos vendría bien un descanso. Venga, de acuerdo.

–Gracias –Sienna sonrió, encantada, mientras subía los escalones del escenario.

El batería le ofreció las baquetas con una sonrisa y ella se sujetó el pelo en un moño que escondió en el cuello de la camiseta. Después de colocar el taburete a su altura, flexionó las muñecas y giró las manos un par de veces. Luego tomó las baquetas, echó los hombros hacia atrás y empezó a mover los pies, buscando mentalmente el ritmo, sintiendo que su cuerpo volvía a la vida. Aquello era exactamente lo que necesitaba.

Entonces empezó a golpear los platillos, moviendo las manos, los pies, todo el cuerpo por separado pero al mismo ritmo para crear un estruendo de mil demonios.

Rhys Maitland estaba al fondo del bar y tuvo que cerrar la boca para evitar que se le cayera la mandíbula al suelo. Estaba en territorio desconocido desde que aquella rubia entró en el bar y lo miró con sus enormes ojos azules. Su cerebro no funcionaba de manera normal desde entonces. En lo único que podía pensar era en desnudarla y tenía la impresión de que a ella le pasaba lo mismo porque no dejaba de mirarlo. Ésa tenía que ser una buena señal.

Había tomado un sorbo de agua para calmarse un poco, pero estaba nervioso y había decidido colocarse en la entrada para mirarla sin ser visto porque temía que le diera un infarto.

Los ojos de aquella chica eran el arma más poderosa del mundo.

De modo que allí estaba, mirando a aquella belleza en el escenario. Parecía pequeña detrás de la batería, pero sabía que era muy alta. Y muy delgada, casi etérea. Y, sin embargo, allí estaba, tocando la batería de una manera que lo tenía a él, y al resto de la banda, estupefacto. Se había echado el pelo hacia atrás, pero mientras tocaba algunos mechones empezaron a caer sobre su cara y sus hombros. Que Dios lo ayudase. Por mucho que quisiera, no era capaz de apartar la mirada. Y había sentido una absurda punzada de celos al ver cómo la miraban los otros.

Además, en sus ojos azules había visto algo, un reconocimiento. No de su nombre, no de quién era, sino un reconocimiento primitivo, elemental.

Había visto un brillo de deseo.

Evidente desde el momento en que entró en el bar con esa minifalda que dejaba al descubierto sus largas piernas, las sandalias de piel casi invisibles. Era como cualquier otra belleza de las que paseaban por la playa y, sin embargo, totalmente diferente. No tenía la confianza de las demás. Había entrado, pero como intentando disimular. Y luego sus ojos, tan azules como el mar, se habían clavado en él y, además de un brillo de duda había visto otro de deseo; una contradicción que lo había sorprendido.

Y el aburrimiento que lo había perseguido durante las últimas semanas había desaparecido por completo.

Tim lo llamó desde la barra.

–¿Habías visto algo así alguna vez?

Rhys negó con la cabeza.

–Es la chica más atractiva que he visto en mucho tiempo.

Afortunadamente, incluso Tim sabía que tenía que callarse y disfrutar del espectáculo.

Unos minutos después, aunque podían haber estado mirándola durante horas, ella dejó de tocar. Después de levantarse, le dio las baquetas a Greg, el batería.

–Gracias, me hacía mucha falta.

–Cuando quieras –Greg tropezó cuando iba a recuperar las baquetas, mirándola a ella y no los obstáculos que había en su camino.

Tim se acercó al borde del escenario.

–Me llamo Tim. Tienes que venir a vernos tocar esta noche.

–Sí, claro –sonriendo, la rubia bajó del escenario y Rhys apretó los puños al ver esas piernas en acción–. Os lo agradezco mucho, chicos. Ahora me siento mejor.

Debía de saber que todos estaban con la lengua fuera, pero salió del bar tranquilamente, como si no tuviera una sola preocupación en el mundo, como si nadie estuviera mirándola.

¿Se sentía mucho mejor? La sangre de Rhys se había convertido en lava. También él se sentía mejor. Y sabía que ella podría llevarlo al cielo.

La vio dirigirse a la puerta con la cabeza baja, pero volvió la mirada cuando pasó a su lado.

Había cinco mesas entre ellos, pero podrían haber estado a unos milímetros, tal era la claridad con la que veía sus ojos. No sonreía mientras lo miraba de arriba abajo, como inspeccionándolo. Y él no sonrió tampoco, no movió un músculo porque no podía hacerlo.

Esa atracción imparable otra vez. Deseaba tomarla entre sus brazos...

¿A las cuatro de la tarde, con sus amigos mirando?

Por fin, ella salió del bar y Rhys miró hacia el escenario, recordando que debía respirar.

–Qué tipazo –dijo Tim–. Y cómo te ha mirado.

Rhys se encogió de hombros. Sí, cómo lo había mirado. Aún estaba intentando recuperarse.

Tenía unos ojos de escándalo, unas piscinas azules que parecían quemarlo, absolutamente magnéticos. Rhys sabía que era la mirada de una mujer interesada por un hombre, de modo que había una posibilidad.

No, ella era una certeza y en aquel momento la deseaba como no había deseado nunca a una mujer. Quería ir tras ella, envolverla en sus brazos y hacerla suya. Y tener que contener ese deseo era doloroso.

En Sidney había muchísimas mujeres guapas y Rhys conocía a algunas de ellas pero, de repente, aquella chica flaca con camiseta y minifalda lo había dejado catatónico.

–En cuanto sepa quién eres, será tuya –bromeó Tim.

Rhys frunció el ceño. No sabía quién era y él no quería que lo supiera. No quería ver la atracción en sus ojos reemplazada por el símbolo del dólar. Quería explorar el deseo que sentía por ella sin los obstáculos de los prejuicios y la avaricia.

Era extranjera, pensó. Tenía acento neozelandés y llevaba la ropa que llevaría una turista de mochila. También él estaba fuera de su hábitat, en una zona de la ciudad a la que rara vez solía ir y que casi le parecía territorio extranjero; uno en el que, afortunadamente, no era conocido.

Por el momento, lo que había entre ellos era una página en blanco y él no quería llenarla. Lo que quería era algo físico. Su cuerpo buscaba conectar con el de ella en cuanto la vio, de modo que no iba a marcharse de aquel bar hasta que hubiese vuelto a verla.

Capítulo Dos

Sienna se vistió, poniendo más cuidado del habitual y mucha más emoción. Si había algún hombre capaz de hacer realidad uno de sus deseos para el nuevo año, *ése* era el hombre.

Había vuelto al hostal para esperar a Julia y Brooke, las dos sudafricanas a las que había conocido cuando llegó por la noche. En cuanto mencionó las palabras «bar» y «banda de rock», las dos se mostraron encantadas. Y Sienna también. Con ellas se divertiría, pasara lo que pasara con el guapísimo de los ojos grises. Y ése era el propósito de aquel viaje, ¿no? Pasarlo bien, ser normal, aprovechar el tiempo.

Sienna salió del cuarto de baño sujetando el escote del top.

–¿Podéis ayudarme a atar estas cintas?

–¡Es divino! –Julia lanzó un silbido.

Lo era. Lo había metido en la maleta a última hora, pensando que no se lo pondría. De satén azul cobalto, con una tira de lentejuelas a juego, la prenda se ajustaba desde el cuello hasta el abdomen con tres cintas, una en el cuello, otra en el pecho y la última en el estómago. La cubría desde el cuello al estómago por delante, pero dejando la espalda al descubierto.

–Haz un nudo doble, Julia.

–¿Estás segura? Necesitarás tijeras para quitártelo.

–Estoy segura.

Ésa era la cuestión: el top era muy sexy, pero nadie podría quitárselo para descubrir lo que había debajo. La cinta que cruzaba su abdomen impediría que alguien metiese la mano por debajo, la del cuello evitaba que las manos fueran hacia el sur. Perfecto.

Se lo puso con una falda de campana negra y sandalias de tacón. Sus piernas eran lo mejor de ella y pensaba aprovecharlas. No sabía si los sueños se hacían realidad, pero tenía que echar una mano.

Después de ponerse crema hidratante en las piernas, ajustó discretamente el elástico del tanga de encaje negro. No solía usar tanga, pero estaba reinventándose a sí misma y esa noche pensaba echar toda la carne en el asador. Iba más tapada que la chica del biquini rojo, pero tan desnuda como podía estarlo.

–Pareces una vampiresa –Julia dio un paso atrás para mirarla antes de volverse hacia su mochila–. Tengo que encontrar algo que pueda competir con eso.

Como los pechos de Julia eran competencia más que suficiente, Sienna no pensaba dejar que el cumplido se le subiera a la cabeza.

–¿El cantante es guapo? –preguntó Brooke–. Porque te gusta el cantante, ¿no?

–El cantante es para ti… de hecho toda la banda es para vosotras.

–¿Entonces quién es el que te gusta, un camarero?

¿Tan evidente era que se había vestido para alguien en particular?

–No, es un chico que está con la banda.

–¿Un técnico? –exclamó Brooke, poniendo cara de asco.

–No sé a qué se dedica. Estaba ayudando a colocar los amplificadores…

Las otras dos intercambiaron una mirada.

–Bueno, si a ti te gusta…

Mientras Julia y Brooke se arreglaban, Sienna se hizo un moño alto y se puso rímel en las pestañas y brillo en los labios, deseando tomar una copa de vino o algo que tuviese alcohol.

Aquello era ridículo. Estaba extraordinariamente nerviosa por nada. Seguramente él no estaría allí esa noche… pero daba igual, estaba en una ciudad extraña, dispuesta a pasarlo bien. Si él estaba allí, estupendo. Y si no, pensaba divertirse de igual manera.

Pero quería verlo otra vez, quería que volviese a mirarla como la había mirado por la mañana. Una mirada más sería suficiente.

No, no lo sería.

–Bueno, chicas, vamos a pasarlo bien –anunció Julia.

Sienna no podía dejar de reír mientras salían de la habitación. Qué tonta era, pensó. Pero ya que se había vestido para matar, debía aprovecharlo. Al menos podría bailar, como solía hacerlo con su amiga Lucy. Bailar y reír.

Mientras iban por la calle, intentó que la confianza de sus amigas se le contagiase.

No llegó hasta que la banda estaba tocando la segunda canción. Rhys estaba en la barra, en un sitio desde el que tenía una buena perspectiva de la puerta. Iba con dos chicas que también parecían turistas, morenas, relajadas, divertidas. Las otras dos miraban el escenario, pero ella miraba alrededor.

Pero Rhys dio un paso atrás cuando miró hacia la barra porque quería observarla durante un rato sin ser visto.

Los músicos pararon antes de lo previsto y bajaron del escenario como lobos, los cuatro. Pero fue Tim, como siempre, el que llegó primero. Rhys se quedó observando un rato para ver si la rubia miraba a alguno de la banda como lo había mirado a él por la mañana. La vio sonreír mientras presentaba a sus amigas, pero eran ellas las que coqueteaban mientras iban hacia la mesa reservada para la banda.

Rhys la vio mirar alrededor de nuevo antes de sentarse. Estaba buscando a alguien, evidentemente. Ojalá fuese él.

Tim se acercó a la barra y pidió chupitos de tequila para todos, su modus operandi habitual.

–¿Por qué estás escondido aquí? Hay una chica en la mesa que te está buscando. Venga, no puedes ser el médico serio toda tu vida. Te han dicho que te tomases unas vacaciones… y ahí están tus vacaciones –le dijo, señalando la mesa.

Rhys consiguió sonreír. Sí, le habían obligado a tomarse quince días de vacaciones porque trabajaba demasiadas horas y en el hospital había problemas de presupuesto. Pero a él no le gustaba descansar porque eso significaba que tenía demasiado tiempo para pensar. No, él prefería estar ocupado.

–Venga, hombre –insistió Tim–. ¿Cuándo fue la última vez que te acostaste al amanecer, después de una juerga?

Tim podía hacer lo que le diese la gana porque nadie lo perseguía, nadie publicaba sus fotografías en las revistas de cotilleo. Si Rhys se acercaba a alguna mujer, aparecía al día siguiente como una nueva relación… con posibles campanas de boda. Los paparazzi habían invadido lo que él había querido que fuese una vida normal y no podía hacer nada al respecto. Cuando había dinero de por medio, especialmente mucho dinero, la gente sin escrúpulos era capaz de vender su alma al diablo.

Mandy había hecho eso.

Se había vendido, y a él, al mejor postor. Mandy trabajaba en un café cerca del hospital y, engañado por su simpatía, una noche que estaba de guardia la invitó a salir. Una hora charlando se convirtió en una cita y luego en una serie de citas. No supo hasta mucho después que había sabido quién era desde el principio, que lo que habían compartido no era real, que no había nada bajo ese burbujeante exterior. Había roto con ella y fue entonces cuando descubrió que sólo la motivaba el dinero.

Pero no sería tan tonto como para confiar en alguien otra vez. De modo que no se acostaba con chicas a las que no conocía porque no quería leerlo en las revistas al día siguiente. En lugar de eso, salía discretamente con mujeres de su círculo social; mujeres guapas, elegantes, pero también circunspectas y aburridas.

Esa noche quería ser alguien anónimo, capaz de divertirse sin preocuparse de los paparazzi. Seguramente no debería importarle, pero quería que su vida fuese algo más. Se negaba a ser el rico y caprichoso playboy que usaba su dinero y su apellido para ligar. Y se negaba a dejar que lo utilizasen.

La vida, Rhys lo sabía, era algo precioso.

Desgraciadamente, eso parecía hacerlo más atractivo para la prensa del corazón. Y con la traidora de Mandy contándoselo todo a cualquiera que pagase bien, los periodistas hablaban de él como si fuese un santo, el médico de urgencias que trabajaba para escapar de una vida llena de privilegios. Y tampoco era eso.

Rhys miró hacia la mesa que ocupaba la banda y la vio inclinar a un lado la cabeza para escuchar lo que decía una de sus amigas. Podía ver el brillo de sus ojos incluso a distancia, el bonito tono rubio de su pelo, los suaves hombros...

Y sus abdominales se contrajeron. No era un santo cuando pensaba en ella, eso desde luego. Quizá, sólo por una vez, podría portarse como un frívolo. Su deseo por ella era lo bastante fuerte como para animarlo.

–No es de aquí, ¿verdad?

–Neozelandesa, creo. Sus amigas son sudafricanas y se han conocido en el hostal en el que se alojan.

Rhys siguió mirándola. Seguramente sólo estaría en Sidney un par de días, pensó. ¿Qué importaba no decirle su verdadero nombre? Aquella noche no quería ser él mismo. Estaba cansado de vivir con sus recuerdos y sus penas. Quería divertirse.

Y la tentación ganó la partida.

–Sabe que me llamo Rhys, pero no tiene por qué saber nada más. Digamos que soy Rhys... Monroe.

Tim lo miró con cara de incredulidad.

–¿Y a qué se dedica, señor Monroe?

–No lo sé. ¿Tú qué crees que debo decir?

–Algo que se te da fatal. Cuanto más grande es la mentira, más fácil resulta creerla.

–¿Y tú cómo sabes eso?

–Rhys, yo soy un profesional –contestó su amigo, burlonamente indignado–. Podemos decir que eres carpintero o albañil, una profesión en la que no se gane mucha pasta.

–Eso es ridículo. Yo no sé nada de carpintería o albañilería.

–Precisamente por eso. Y no eres un Maitland, heredero de todos esos millones.

Rhys sacudió la cabeza.

–Nunca he oído hablar de él.

Tim tomó una bandeja con los vasos y la botella de tequila.

–Bueno, Monroe, vamos a contar mentiras.

–Voy enseguida.

Haciéndole un guiño, su amigo volvió a la mesa mientras Rhys observaba desde la barra, oculto por los clientes. La rubia tomó un chupito de tequila y arrugó la nariz. No parecía gustarle mucho, pero se lo tomó de un trago, como todos. Tim inmediatamente empezó a servir otra ronda, pero ella declinó la oferta. Después la vio mirar hacia la barra y hacia la puerta como buscando a alguien…

Sonriendo, Rhys llamó a la camarera.

Julia y Brooke estaban tomando el tercer chupito de tequila y Sienna sonrió con cierta tristeza, sabiendo que aquélla iba a ser otra de esas noches en las que ella se quedaba mirando mientras los demás lo pasaban en grande.

El tequila le había quemado la garganta. No le gustaba el alcohol fuerte, prefería una copa de vino. Algo ligero, para un peso ligero como ella.

No había ni rastro del morenazo de ojos grises. Intentó decirse a sí misma que no importaba, pero no era verdad. Había montones de hombres en el bar, montones de chicos guapos en grupos, pero no le interesaban. La atracción que había sentido por el hombre de los ojos grises había sido tan sorprendente, tan extraña, que se había hecho ilusiones.

Ahora, mirando alrededor, le parecía un mercado de carne y ella no tenía producto para poner una tienda.

Tim había conseguido sentarse entre las dos bellezas sudafricanas, con los otros alrededor. Sin duda, lo tenían todo estudiado. Y ella, que sabía que su sitio estaba entre el público, dejaría el estrellato para sus amigas.

Un brazo apareció entonces sobre su hombro.

–Pensé que preferirías esto –una copa de agua apareció ante ella– y luego esto –añadió, dejando una copa de vino blanco sobre la mesa.

Rhys, era Rhys.

Él apartó una silla y se sentó a su lado, un poco apartado de los otros. Llevaba unos vaqueros negros y una camisa del mismo color remangada hasta el codo. Tenía unos antebrazos fuertes morenos, capaces. Sonreía, pero tenía una expresión seria, acentuada por la sombra de barba.

–Gracias –Sienna tomó un sorbo de agua, que necesitaba más que nunca.

Pero antes de que pudiera volver a dejar el vaso en la mesa, él se lo quitó de la mano y, sin dejar de mirarla a los ojos, se lo llevó a los labios.

–¿Te importa compartir?

–No, no –dijo ella, después de tomar aire.

Las cejas de Julia habían desaparecido bajo su flequillo y Brooke estaba abanicándose.

–Me alegro de que te hayas decidido a venir, Rhys –empezó a decir Tim–. Julia, Brooke, os presento a Rhys. Creo que Sienna y tú ya os conocéis.

Sienna.

Los dos hombres se miraron y Brooke y Julia se miraron también, pero de una manera menos sutil. Sienna tuvo que tomar la copa de vino.

–Rhys es un antiguo compañero de universidad que ha venido a Sidney a pasar unos días –explicó Tim–. Nos está echando una mano…

–¿No deberías estar en el escenario, cantando a pleno pulmón? –lo interrumpió él.

Tim tomó la botella de tequila y se dirigió al escenario, donde el resto de la banda había empezado a colocar los instrumentos.

Julia y Brooke se volvieron para mirar a Rhys. Y luego a Sienna.

–Vamos a bailar –dijo Brooke, tomando a Julia del brazo.

Sienna las observó bailando en la pista como locas. Le encantaba su entusiasmo, su alegría.

Pero la fuerte y silenciosa presencia a su lado era en lo único que podía pensar. Nerviosa, se volvió para mirarlo. Una cosa que sabía hacer era hablar con la gente. O, más bien, cómo hacer que la gente hablase con ella. Había tenido que hacer el papel de confidente durante muchos años, porque no podía hacer otra cosa, y sin darse cuenta acabó convirtiéndose en el hombro sobre el que los demás lloraban. Era irónico que ella, que no podía participar, pudiese escuchar y motivar a los demás.

–¿Vas a estar mucho tiempo en Sidney, Rhys?

–Unos días. Trabajo en la construcción, en Melbourne.

Ah, datos básicos.

–¿En la construcción?

–Sí, soy albañil –contestó él, mirando el escenario.

–No pareces un albañil.

Él la miró entonces, con gesto burlón.

–No suelo llevar las herramientas cuando salgo a tomar una copa.

Sienna sonrió. Evidentemente, era un hombre

de pocas palabras. Además, le gustaba tanto que era un milagro que pudiese articular palabra.

–¿Y tú? ¿A qué te dedicas?

–Por el momento, no hago nada.

–¿Estás de vacaciones?

–Sí, he venido a Sidney unos días antes de embarcarme en mi gran aventura. Soy de Nueva Zelanda, ya sabes que nos gusta viajar.

Era cierto, los neozelandeses viajaban mucho, tal vez porque vivían confinados en una isla diminuta al otro lado del mundo. Durante un año o dos, muchos hacían la mochila y se dedicaban a viajar por todo el mundo. Ella había tardado un poco en organizarse, pero por fin estaba en camino.

–¿Europa?

–En principio, Sudamérica –contestó Sienna. Había un par de países en su lista y Perú era uno de ellos–. ¿Y tú?

–Tengo uno par de semanas de vacaciones, supongo que me quedaré aquí.

–¿Con tus viejos amigos?

–Ahora mismo estoy más interesado en conocer amigos nuevos.

Sienna no dijo nada mientras lo veía tomar otro sorbo de vino, casi sintiendo celos de la copa. ¿Cómo sería besarlo?, se preguntó. Sentir el roce de su lengua…

De inmediato, sintió que le ardían las mejillas. Qué cosas pensaba. Y lo peor era que estaba segura de que él lo sabía y que, posiblemente, estaba pensando lo mismo.

De repente, Rhys se inclinó hacia delante, hablándole al oído con la voz más tentadora del mundo:

–¿Sabes lo que pienso, Sienna?

–¿Qué?

–Creo que deberías bailar conmigo.

Sienna sintió un cosquilleo que empezó en su espina dorsal y fue bajando por la espalda y las piernas hasta llegar a los dedos de los pies.

–Muy bien.

Julia y Brooke seguían bailando frente al escenario y Sienna se detuvo en medio de la gente, deseando desaparecer porque sabía que Tim y los demás los estaban mirando, que Brooke y Julia le harían un gesto de aprobación cuando Rhys se diera la vuelta...

Tres segundos después, no le habría importado que hubiese un equipo de cine filmando lo que hacía delante de veinte millones de espectadores porque se olvidó de todo salvo de Rhys. Aprovechando que había mucha gente en la pista, estaban pegados el uno al otro. Él sonrió y ella le devolvió la sonrisa. Todo era tan fácil. Él se movía, ella lo seguía y sus dedos se rozaban... pero estuvo a punto de dar un salto cuando la rozó, como si hubiera sentido una descarga eléctrica. ¿Habría sentido él lo mismo?

Si se ponía tan nerviosa sólo por un roce, ¿qué pasaría si la besara?

Lo único que sabía era que quería más, que lo deseaba con auténtica desesperación. Un deseo feroz y absolutamente extraño para ella.

Ninguno de los dos estaba sonriendo. Se movían sin decir nada y Rhys no apartaba los ojos de ella.

–Sé que esto es demasiado prematuro y que no nos conocemos de nada. Puedes decir que no, pero...

–¿Pero qué?

Él la miró a los ojos.

–Voy a besarte.

Sienna dejó de moverse. Se quedó inmóvil en medio de la pista, rodeada de gente a la que no veía. Su reacción inicial fue de alivio. Evidentemente, no había estado soñando, no había imaginado la atracción que había entre los dos. Pero el alivio dio paso a un escalofrío de deseo y decidió provocarlo un poco, sintiéndose más segura.

–Eso está bien porque pienso devolverte el beso.

Rhys había dejado de bailar y sus ojos estaban clavados en ella.

–Muy bien.

Luego dio un paso adelante. Estaba deseando que la tocase, pero los milímetros parecían kilómetros. Parecía haber un acuerdo tácito entre ellos para alargar el momento, para saborearlo. El momento que habían estado esperando desde que se vieron por la mañana.

Aunque quería moverse, sería él quien tendría que dar ese último paso.

Y lo hizo. Rhys levantó una mano para acariciar su cara... le temblaban los labios y tuvo que pasarse la lengua por ellos.

–No –murmuró él–. Deja que lo haga yo.

Rhys se inclinó un poco y, muy espacio, rozó su labio inferior con la punta de la lengua.

Aquello era una locura, pensó Sienna, temblando. Pero el incendio que se había apoderado de ella era real.

–¿Mejor?

–No –contestó ella, intentando disimular que temblaba.

–¿Aún tienes sed?

Estaba desesperadamente sedienta, pero consiguió asentir con la cabeza, levantando la barbilla.

Rhys enterró las manos en su pelo. Cómo deseaba esa boca, esa preciosa boca…

Rozó sus labios un par de veces y Sienna hizo lo mismo, enredando los dedos en su espeso pelo, empujándolo hacia ella.

Se quedaron completamente quietos entre una masa de gente que se movía, concentrados el uno en el otro, intentando controlarse. Aquél no era el sitio más adecuado para dejarse llevar, pero ella sabía que iba a ser imposible contenerse.

Un momento de fantasía mezclado con la realidad. Sólo una vez.

Él bajó la cabeza y se encontraron a medio camino, abriendo la boca para besarse apasionadamente.

–Eres preciosa –murmuró después, besando su cuello.

Sienna apartó la mirada para que no viese el dolor que había en sus ojos. ¿Preciosa? No del todo.

Pero, de nuevo, empujó un poco su cabeza para volver a besarlo. No quería halagos, frases bonitas o promesas. Porque aquello era todo lo que había: un momento de total felicidad. La clase de momento que había esperado durante toda su vida adulta y quería alargarlo. Quería que aquélla fuese una noche mágica y se dejó caer sobre él como no haría nunca en su casa. Pero no estaba en casa, no estaba con nadie a quien conociese.

El hombre más sexy del mundo estaba besándola como si ella fuera la mujer más bella del mundo y nadie podría decirle lo contrario. Y mantendría aquella fantasía durante todo el tiempo que pudiera.

Sus cuerpos chocaron cuando la pasión se volvió abrumadora, la contención inicial desapareciendo al reconocer que sentían lo mismo.

Y quería más.

Al notar el roce de sus manos en la espalda Sienna dio un respingo, de nuevo experimentando esa sensación, como si hubiera recibido una descarga eléctrica. Él echó la cabeza hacia atrás, mirándola a los ojos con cara de sorpresa. Abrió la boca para decir algo, pero Sienna se puso de puntillas para evitarlo. No quería que dijese nada, sólo quería vivir la experiencia.

Otra vez.

El deseo de sentir esos dedos por todas partes era abrumador, pero sabía que no iba a ocurrir. Así era como debía de haberse sentido Cenicienta, pensó, acariciando sus anchos hombros. Tenía a su príncipe azul y bailaba con él, pero sabiendo que era una fantasía que no podía durar pasada la medianoche.

Tenía que aprovechar el momento.

Él la deseaba y ella quería sentir esa deliciosa boca por todas partes.

No, no por todas partes, pensó, mientras se apretaba contra él. Nunca había sido tan atrevida en toda su vida y le encantaba. Estaba entre sus brazos, prácticamente aplastada contra su pecho, los dos sintiendo la desesperada necesidad de estar más cerca aún, de quitarse la ropa y convertirse en uno solo.

Lo que había empezado como un baile lento y contenido se había convertido en un abrazo apasionado, pero no era suficiente.

De nuevo, Rhys pasó las manos por su espalda desnuda, apretándola contra él, cerca pero no tan cerca como a Sienna le gustaría. Le dolía, un dolor físico que sólo él podía curar... estando dentro de ella.

Él puso una mano en su trasero, apretándola contra su pelvis, y sentir su erección fue la más exquisita de las torturas. Los besos se volvieron más frenéticos y Sienna cerró los ojos, jadeando, sin aliento.

Pero entonces levantó la cabeza con inesperada energía.

–Deberíamos irnos de aquí –dijo con voz ronca–. Creo que deberíamos estar solos.

Rhys la miraba a los ojos, tal vez buscando un brillo de duda en los suyos. Pero Sienna no tenía intención de dar marcha atrás. Por primera vez en su vida olvidó sus temores y decidió tener lo que deseaba.

–A algún sitio que esté cerca –añadió, asombrada de que sus cuerda vocales funcionasen.

–¿Estás segura?

–Tan segura como tú.

En sus ojos había un brillo de deseo, no había duda, pero también algo más, algo que no entendía. Y, sin embargo, cuando la tomó del brazo era como si no tuviesen alternativa, como si no pudieran evitarlo.

Capítulo Tres

La puerta se cerró tras ellos, ahogando el sonido de la música y de la gente. Estaban en una especie de almacén o trastienda, pensó.

Rhys la había llevado de la mano, sabiendo perfectamente dónde iban, y ella lo siguió sin hacer preguntas. Después de cerrar la puerta echó el cerrojo y la miró, señalándolo con la cabeza.

–Puedes irte cuando quieras.

–No quiero irme.

Rhys puso las dos manos sobre la puerta, a ambos lados de su cabeza. No tenía unos bíceps superdesarrollados pero sí bien definidos, de músculos largos. Y sentía que estaba apoyado en la puerta para contenerse, pero ella no quería que se contuviera. Lo quería todo.

Rápidamente, para no vacilar, desabrochó el primer botón de su camisa y lo vio sonreír. Aquello podría ser muy divertido y ella llevaba mucho tiempo sin pasarlo bien.

Le temblaban las manos mientras desabrochaba el resto de los botones pero, por fin, consiguió ver aquel torso bronceado. El inicial ataque de mariposas en el estómago fue reemplazado de inmediato por un cosquilleo entre las piernas al ver esos abdominales perfectos.

Debía de tener un hada madrina que estaba haciendo realidad sus deseos, pensó, haciendo un esfuerzo por apartar la mirada de su torso para mirarlo a la cara.

Sus ojos se encontraron. Él estaba muy serio.

–Normalmente no…

–Yo tampoco.

Y Sienna supo que era verdad.

–Sólo quiero…

–Yo también.

«Tocarte».

Sienna alargó una mano para apagar la luz y, de repente, quedaron envueltos en la oscuridad. Ni siquiera podía ver su silueta, pero sí podía sentirlo.

–¿Qué haces?

–Espero que no te importe –murmuró ella, sintiéndose seductora. Luego, sin decir nada, se quitó el tanga, dejándolo caer al suelo. Y experimentó una extraña sensación de libertad. En la oscuridad se sentía libre y podía ser tan atrevida como quisiera.

–Tócame.

Rhys dio un paso adelante. Al menos, oyó que movía los pies.

–¿Dónde quieres que te toque?

–Donde tú quieras.

Por todas partes, no le importaba. En la oscuridad podía pasar cualquier cosa.

Él estaba cerca, muy cerca, pero sin tocarla y Sienna deseaba que lo hiciera. Más de lo que había deseado nada en toda su vida.

Olía al vino que habían bebido, pero enseguida detectó un aroma nuevo: Rhys. Excitado.

Y aun así se contenía.

¿Dónde estaba? Sienna se asustó. ¿No habría cambiado de opinión?

–No sé si tocarte con la boca o con las manos.

–¿Qué tal si haces las dos cosas?

Lo oyó resoplar, divertido.

–Sienna, la sirena.

Por fin, puso las manos en su cintura para buscar sus labios. De vuelta al principio, pensó ella. Pero no era un beso de comienzo, era un beso apasionado, ardiente. Rhys acariciaba su espalda, su cuello, sus pechos por encima de la tela...

–¿Cómo se quita esta blusa?

–Es complicado. Yo...

–Más tarde. Te la quitaré más tarde.

No habría más tarde, pero Sienna dejó de pensar en ello al sentir la boca masculina sobre sus pechos, buscando sus pezones con total precisión.

Nunca se había sentido tan deseada. Sus amantes solían distraerse en ese momento debido a la cicatriz. Esa noche, a pesar de la delgada tela de la blusa, podía sentir el deseo de Rhys en el calor de sus labios, de su lengua, un deseo que ella sabía desaparecería si la viese desnuda.

Pero entonces se dio cuenta de que su cuerpo, su sexo, deseaba la misma atención que sus pechos. Quería sus dedos, sus labios, su lengua devorándola.

Lo quería todo. Todo su cuerpo. Toda su fuerza.

El olor del almacén, los gemidos de Sienna, la suavidad de su piel y la oscuridad se combinaban hasta que Rhys tuvo la sensación de que había abandonado la tierra y estaba en el cielo.

Acariciaba sus pechos por encima de la blusa, en parte deseando apretarla contra sí, en parte queriendo ponerla en un pedestal para adorarla.

Estaba perdiendo el control, se dijo. Ni siquiera recordaba si llevaba un preservativo en la cartera.

¿Lo llevaba?

Pero ella estaba besándolo de nuevo y resultaba imposible pensar.

Durante unos segundos no pudo ver nada, pero cuando sus ojos se acostumbraron a la oscuridad vio su pelo dorado, una melena despeinada tan seductora. Sienna apretaba las caderas contra él y él estaba deseando tocarla...

Dobló las rodillas para poner las manos en sus muslos y la oyó contener el aliento. Tenía las piernas delgadas, pero fuertes. Podía imaginar su suave piel...

Cuando estuvieran en la cama, apoyaría la cabeza en sus muslos y exploraría el tesoro que había más arriba. Pero, por el momento, sus dedos le enviaban las imágenes mientras sus oídos le proporcionaban el audio.

Quería escuchar esos gemidos cuando llegase al orgasmo... y él haría que llegase muy pronto.

Cuando acarició la curva de su trasero se sorprendió al notar que no llevaba ropa interior. Tenía el camino libre. Al trazar con un dedo el húmedo camino, el aroma de su lugar secreto llegó a su nariz, excitándolo aún más, tentándolo. Quería hacerla suya. Tenía que hacerlo. Se hundiría en aquella mujer, pasara lo que pasara.

Estaba tan excitado que apenas se dio cuenta de que le quitaba el cinturón. Cómo había bajado la cremallera de los vaqueros no tenía ni idea, pero fue un alivio que lo liberase de su prisión.

Con sorprendente fuerza, Sienna puso una mano en su nuca, empujando su cabeza para besarlo mientras con la otra agarraba su miembro. Su mano era firme y cálida y cuando empezó a acariciarlo Rhys dejó escapar un gemido ronco. Necesitaba apartarse un momento o todo terminaría en unos segundos.

Y entonces ella saltó. Literalmente, saltó a sus brazos. Inmediata, instintivamente, Rhys abrió las piernas para sujetar su peso. Y no tuvo más remedio que agarrar su trasero mientras ella enredaba las piernas en su cintura.

La oyó gemir mientras movía las caderas arriba y abajo, buscándolo… y él la ayudó.

«Oh, sí».

Estar dentro de ella fue tan repentino, tan sorprendente y tan increíblemente satisfactorio que estuvo a punto de terminar allí mismo.

«Aún no, aún no».

Llevando aire a sus pulmones, hizo un esfuerzo sobrehumano para controlarse, con el corazón acelerado. Estaba húmeda, ardiendo…

–¿Estás bien?

Rhys la miró, sorprendido. Había querido esperar hasta que estuvieran en la cama, no en el almacén de un bar, para hacer el amor. Pero no había manera de parar y ella le preguntaba si estaba bien...

–¿Vamos demasiado rápido? –insistió ella.

–Un poco –contesto Rhys–. Pero ahora te tengo bien sujeta.

Desde luego que sí. La tenía bien sujeta y besó cada centímetro de su cuerpo mientras apretaba su trasero. Querría ir un poco más despacio, pero ella lo estaba montando y sabía que no podría aguantar mucho más.

Intentaba decirse a sí mismo que aquello era un aperitivo, el preludio de la noche fabulosa que le esperaba. Cuando estuvieran en su casa, en su cama, donde podría quitarle la ropa para verla, para oír sus gemidos sin el ruido de fondo de un bar abarrotado.

Ese pensamiento lo alivió y se dejó llevar por el deseo de aceptar lo que le ofrecía, de hundirse en ella profundamente.

Sus gemidos de placer se convirtieron en gritos de celebración, unos gritos que amenazaban con ahogarlo.

Pero, increíblemente, no explotó. Al contrario, se encontró en una nueva fase, incluso más intensa, donde tenía más energía para sujetarla mientras ella se contraía a su alrededor una y otra vez. Empujó con fuerza, la ardiente seda de su cuerpo absorbiéndolo, el placer haciendo que perdiese la cabeza.

«Más, más, más».

Ella murmuraba palabras ininteligibles que sonaban como gritos para él, tan intensos. Pero Rhys deseaba más. Aquel instinto primitivo de poseerla era extraño para él.

Tirando de su pelo hacia atrás, buscó sus labios

para darle un beso duro y hambriento y sin contención posible.

Ella le devolvía los besos, uno por uno, bailando con su lengua, tirando de su pelo, sujetándolo para que no pudiera escapar. Estaba devorándolo, dando y recibiendo puro placer físico.

Ya no podía luchar más y, sin control, empujó hacia arriba posesivamente, derramando todo lo que tenía hasta quedar exhausto.

Una tormenta de luces explotó dentro de su cabeza.

Y luego todo se volvió oscuridad.

Ya no sentía su peso. Las piernas habían soltado su cintura y sus manos colgaban inútiles a los lados, pero sintió su aliento en el cuello.

–Gracias.

Antes de que Rhys pudiera replicar, ella abrió la puerta y escapó por el pasillo entre el almacén y el bar.

Él parpadeó, atónito.

Se había ido.

Se agarró a la puerta, mareado por el esfuerzo. Poco a poco la sangre volvía a su cerebro, pero no era capaz de moverse. Perplejo, sin fuerzas.

Entonces sintió la brisa que llegaba del pasillo en su torso desnudo, la quemazón en sus muslos y brazos agotados.

Suspirando, miró su reloj. ¡Llevaban allí casi una hora! ¿Lo habría convertido en un experto en sexo tántrico?, se preguntó. Él había disfrutado de muchas sesiones largas de sexo, pero nunca de tal maratón.

Y lo más curioso era que no le parecía suficiente. Quería más. Increíblemente, quería más en ese mismo instante. Su cuerpo parecía haberse recargado de energía en unos segundos.

Encontró el interruptor y, después de abrocharse la camisa y el pantalón, miró alrededor. Afortunadamente no habían tirado nada, todo estaba en su sitio. Rhys arrugó el ceño.

¿Lo habría imaginado? Tal vez en el hospital tenían razón y necesitaba unas vacaciones de verdad.

Entonces vio algo en el suelo y se inclinó para recogerlo. Unas braguitas... no, un tanga de encaje negro. Y tuvo que sonreír al ver lo pequeño que era. No sabía cómo aquello podía tapar nada.

Pero ella había sabido lo que quería desde el principio, estaba claro. ¿Habría sido un encuentro planeado?, se preguntó entonces. De repente, empezó a tener dudas. Tal vez sabía quién era, tal vez conocía su identidad y todo aquello estaba preparado. Y él había sido un tonto.

¿El premio sería un embarazo de un millón de dólares? Lo que le había hecho Mandy no sería nada comparado con eso.

No sabía nada sobre ella y acababa de tener relaciones sin preservativo.

«Estúpido, idiota».

Él siempre controlaba esas situaciones y no se permitía a sí mismo ser vulnerable porque la vulnerabilidad llevaba al desastre, eso lo sabía bien.

Pero no había controlado la situación, pensó. La

había controlado ella desde el principio. Lo había pillado por sorpresa y, por una vez, se había dejado ir. Había perdido la cabeza porque era tan excitante que no pudo pararse a pensar. ¿Iba a tener que pagar un precio por ello?

Furioso consigo mismo, se abrochó el cinturón. Ni siquiera podía culpar al alcohol porque apenas había probado el vino. Lujuria, eso había sido. No había podido pensar en nada más que en aquella rubia...

A la que seguía deseando.

Apretando los dientes, guardó el tanga en el bolsillo del pantalón. Debía encontrarla y descubrir cuál era su juego.

Habían pasado unos segundos, pero no podía haberse marchado sin despedirse de sus amigas, pensó, aprovechando su estatura para mirar alrededor. La vio enseguida dirigiéndose a la puerta y se abrió paso entre la gente, sin importarle las protestas, con los ojos fijos en la espalda de Sienna.

Ella salió del bar y giró a la izquierda...

Rhys la buscó entre la gente. Allí estaba, a unos metros. Incluso a distancia podía ver que se llevaba una mano al pelo para apartarlo de su cara. No parecía darse cuenta de que estaba lloviendo. Y tampoco él se había dado cuenta hasta ese momento, pero las gotas de lluvia eran un alivio porque estaba ardiendo.

No sabía por qué no la llamó. Quería ver dónde iba. Esperaba que no subiera a un taxi... y no lo hizo. Entró en un hostal para universitarios y turistas jóvenes.

De modo que estaba allí de vacaciones...

Cuando entró en el hostal, vio sus piernas desapareciendo al final de la escalera. Iba a seguirla, pero el encargado de la recepción lo detuvo.

–¿Quería algo?

–La mujer que acaba de entrar, la rubia...

El hombre parpadeó, aburrido.

–¿Sí?

–¿Se aloja aquí? –preguntó Rhys.

–No puedo darle esa información.

–¿Va a estar más de una noche?

El hombre no dijo nada, pero tuvo la impresión de que le guiñaba un ojo.

Daba igual, él mismo encontraría las respuestas. El deseo, la sorpresa y la sospecha lo empujaban.

–¿Tiene alguna habitación libre?

–¿Doble o sencilla?

Rhys lo pensó un momento.

–¿Le queda alguna doble?

–Sí, claro. Necesito su nombre y algún documento que lo identifique. Una tarjeta de crédito, por ejemplo.

Pero él no quería revelar su identidad...

–¿No puedo pagar en efectivo?

–En cualquier caso, necesitaría un documento de identidad.

Rhys lo pensó un momento. La privacidad era fundamental para él pero, por su acento, el tipo de recepción era norteamericano. No sabría quién era, pensó. Sólo necesitaba pasar allí una noche para buscarla a la hora del desayuno y preguntarle qué demonios estaba pasando. De modo que le dio su permiso de conducir y el hombre le entregó la llave.

Mientras subía a su habitación, se pregunto dónde estaría Sienna. ¿Estaría pensando en él?

¿Estaría con otro hombre?

No, imposible. Además, le había dicho que normalmente no actuaba así...

¿Iba a creerla? No sería la primera vez que una mujer guapa procuraba engancharse a un millonario. Un estilo diferente al de Mandy, pero el mismo resultado: dinero. Esta vez podría acabar con un recordatorio permanente de su falta de sentido común y ningún niño merecía venir al mundo sólo para ser moneda de cambio.

Rhys masculló una palabrota. ¿Cómo había podido perder el control de esa manera? Irritado, se metió en la ducha. La tormenta había pasado y pronto volvería a hacer calor.

Pensó entonces en lo que le había dicho antes de marcharse: «Gracias». ¿Por qué le había dado las gracias?

Daba igual, no iba a dejarse engañar por esa rubia sólo porque hubiera un brillo de inocencia en sus ojos...

Sin embargo, tuvo que abrir el grifo del agua fría y cuando miró su reloj dejó escapar un suspiro. Iban a ser unas horas muy largas, pero no pensaba dejar que Sienna se saliera con la suya.

Aunque no sabía qué iba a hacer al respecto.

Capítulo Cuatro

Sienna estaba sentada en la arena, viendo el amanecer, el principio de un nuevo día y de una Sienna diferente. Tuvo que reírse ante ese momento tan melodramático, pero se sentía cambiada y siempre le estaría agradecida a Rhys.

Había escapado de la habitación del hostal en cuanto le fue posible para no tener que darle explicaciones a Julia y Brooke porque lo de la noche anterior no era para análisis. Había fingido estar dormida cuando sus amigas volvieron de madrugada, pero estuvo despierta la mayor parte de la noche.

Suspirando, se estiró en la arena, moviendo los tobillos en círculos mientras recordaba la experiencia erótica más intensa de su vida. Aún sentía las caricias de Rhys...

Nunca había tenido un encuentro así con un hombre y se negaba a lamentarlo. Sólo lamentaba que no pudiera haber más. Suspirando de nuevo, sacó su diario del bolso. No iba a ningún sitio sin él. Tenía volúmenes enteros guardados en el ático de la casa de su madre. Pero no era un diario del estilo: «Querido diario, hoy he conocido al hombre de mis sueños», sino una mirada personal, una forma de explorar sus sueños y sus miedos en profundidad.

Durante años habían sido miedos sobre todo. Y no podía hablar de esos miedos con su madre, su hermano o incluso su mejor amiga porque se disgustaban. De modo que se había acostumbrado a escuchar a los demás, a hablar pero a guardarse los miedos para sí misma.

Escribir era su manera de hacer que las cosas que le pasaban tuvieran sentido. Y, a pesar de la importancia de la noche anterior, se sentía incapaz de escribir una sola palabra. Imposible, jamás podría capturar con palabras lo que había sentido estando con Rhys.

Entonces leyó la lista de las cosas que quería hacer. La lista de buenas intenciones que escribía cada año en el mes de enero, siempre esperando tachar al menos una de ellas.

A medida que pasaban los años, la lista había ido haciéndose más larga, más humorística y caprichosa.

Pero lo había hecho. Podía tachar la resolución número uno, la que la había hecho reír y ponerse colorada al mismo tiempo. Una broma, una fantasía. Pero había sido más maravilloso de lo que había imaginado. De hecho, jamás pensó que se atrevería a hacerlo. Y escribir sobre ello arruinaría algo perfecto, profundo y bello.

Sienna miró el sol asomando en el horizonte. Ojalá pudiera ser tan sofisticada como para no sentirse culpable…

No sabía cuánto tiempo había estado allí, pero ya no estaba sola porque la gente empezaba a bajar a la playa con sombrillas y neveras. Debería levantarse y volver al hostal para desayunar y enfrentarse con el mundo de nuevo. Pero no se movió, no tenía ganas de hacerlo.

Jugó con la arena, dejándola correr entre sus dedos. Pronto se sentiría mejor, se dijo. Pero hubiera deseado que la aventura con Rhys continuase, le gustaría volver a verlo. Y se sentía mal por haber desaparecido sin darle una explicación.

Él había sido maravilloso y ella se había marchado sin decirle adiós siquiera. No era su estilo, nada de lo que ocurrió la noche anterior era su estilo, pero...

–¿Has dormido bien?

Ella levantó la cabeza y se quedó boquiabierta al ver a la persona que estaba a su lado.

Era Rhys.

–¿Qué ocurre? ¿No esperabas volver a verme?

Sienna cerró el diario y lo guardó en el bolso, intentando ganar tiempo mientras buscaba la tapa del bolígrafo, que se había perdido para siempre en la arena.

–Pues...

–Yo no he dormido muy bien, pero gracias por preguntar. Verás, anoche conocí a una chica...

–Rhys.

–Ah, recuerdas mi nombre.

–¡Pues claro que recuerdo tu nombre!

Rhys se puso en cuclillas a su lado y Sienna se dio cuenta de que estaba furioso.

–Mira, siento mucho lo de anoche...

–Yo no. Aún. Y espero no lamentarlo.

–¿Por qué ibas a lamentarlo? –preguntó ella, sorprendida.

–No, sé, dentro de nueve meses, por ejemplo. Es la mejor de las trampas, ¿no?

–¿Qué? –exclamó Sienna, atónita. ¿Nueve meses? ¿Pensaba que lo había utilizado para quedar embarazada? Era absurdo–. Si eso es lo que te preocupa, puedes estar tranquilo, tomo la píldora.

Casarse y formar una familia estaba en la lista de ambiciones de la mayoría de la gente, pero no en la suya. Sienna no quería que un hijo suyo sufriera como ella había sufrido y tampoco quería comprometerse con alguien para abandonarlo después, como su padre había abandonado a su madre.

–Es un juego peligroso, Sienna.

–Yo nunca haría eso –dijo ella, enfadada consigo misma por sentirse avergonzada, enfadada por tener que defenderse. No debería importarle lo que Rhys pensara, pero le importaba porque había sido maravilloso.

–Cuando te dije que no solía hacer esas cosas hablaba en serio. No sé qué pasó... me dejé llevar. Debió de ser el tequila.

–Sólo tomaste un chupito.

–Había bebido más antes de ir al bar.

–Tonterías. Estuve observándote desde que llegaste y sé que estabas sobria.

Sienna tragó saliva. ¿Cómo podía explicárselo?

–¿Pasas tus vacaciones acostándote con hombres a los que no conoces?

–¡No!

–Bueno, en realidad ni siquiera nos acostamos juntos, sólo fue una hora. ¿Encontraste a alguien para pasar el resto de la noche?

–¿Por qué crees que puedes hablarme de ese modo?

Rhys dejó escapar un suspiro.

–¿Te importaría decirme qué pasó anoche?

–No lo sé, pero hasta ahora era un bonito recuerdo.

–¿En pasado?

Sienna volvió a mirar el mar para no mirarlo, para no desear algo que no podía tener.

–En pasado, sí.

Esperaba que entendiese la indirecta y se marchara. ¿Era por eso por lo que muchas mujeres lamentaban acostarse con un hombre al que no conocían? ¿Porque las cosas siempre se complicaban?

No era tan ingenua como para pensar que una podía enamorarse de alguien a quien no conocía, pero sí le importaba lo que pensara de ella. Demasiado. Tal vez porque Rhys había hecho algo por ella que no había hecho nadie más. Las estrellas debían haber estado colocadas de una manera especial la noche anterior o tal vez había luna llena... o algo de magia. En cualquier caso, sólo había sido una vez. Esas circunstancias no se repetían.

Pero él no se marchó, se sentó a su lado en la arena y estiró las piernas.

Seguía llevando la misma camisa de la noche anterior, ahora arrugada, y tenía sombra de barba. Pero a la luz del día era incluso más guapo que por la noche.

–No esperaba volver a verte.

Él se echó hacia atrás, apoyando un codo sobre la arena.

–Saliste corriendo como Cenicienta, pero no dejaste atrás tu zapato de cristal. Me dejaste esto.

Mortificada, Sienna vio que sacaba su tanga del bolsillo del pantalón.

–¿Me lo devuelves? –consiguió preguntar, con un nudo en la garganta.

–No –dijo él–. Creo que no. Porque, al contrario que tú, para mí esa hora no fue suficiente.

–¿Perdona?

–Lo de anoche fue un aperitivo. Me has abierto el apetito y te quiero en la cama, en mi cama, con toda la noche por delante.

Sienna sintió que se ponía colorada hasta la raíz del pelo. Incluso sus tobillos se habían ruborizado, pensó tontamente.

Tenía una voz rica, profunda, seductora.

Pero en cuanto a lo que había sugerido…

Era imposible. Para eso tendría que desnudarse y no pensaba hacerlo. Nunca olvidaría la mirada de Neil, cómo se había echado para atrás.

–¿Qué dices? Para terminar lo que empezamos anoche. Porque sólo era el principio, Sienna.

Si tuviera algo de carácter se levantaría y se marcharía, pero las piernas no parecían responderle.

–Creo que lo hemos hecho todo al revés. Nos hemos acostado juntos antes de la primera cita, por ejemplo. Vamos a hacerlo bien.

–¿Perdona?

–Lo digo en serio. Vamos a cenar, a tomar una copa, a charlar. Yo creo que al menos me debes eso.

Era tan tentador… y le debía algo, era cierto. ¿Podría decirle la verdad? No quería hacerlo, no quería ver cómo el deseo desaparecía de sus ojos. Quería que la recordase como a la chica de la noche anterior.

Y tal vez, si tenía cuidado, podría añadir otro recuerdo.

Rhys se daba cuenta de que Sienna no sabía qué decir. Quería hacerlo, pero no se atrevía. Y se había puesto colorada como una adolescente, aparentemente mortificada por lo que ocurrió la noche anterior. Estaba claro que no era algo que hiciese a menudo. No se podía fingir una reacción así.

Y se sintió más animado al darse cuenta de eso. Su instinto había sido certero, no era una trampa. Sienna no sabía quién era y no estaba buscando quedarse embarazada.

Y lo deseaba, también se daba cuenta de eso. Entonces, ¿por qué había desaparecido de repente?, se preguntó.

Sabía que estaba arriesgándose. Cuanto más tiempo estuviera con ella, más difícil sería despedirse. Pero su cuerpo parecía haber tomado la decisión por él. Quería conocerla y la deseaba como no había deseado a ninguna otra mujer. Y la tendría de nuevo, pero estaba dispuesto a portarse de manera convencional si eso era lo que quería.

Estaba colorada hasta la raíz del pelo, de modo que debía ser cierto que no solía acostarse con extraños. Entonces, ¿por qué lo había hecho con él? Se había mostrado tan atrevida, tan audaz. Una mujer llena de contradicciones, pensó. Había muchos secretos en esos ojos azules…

También él tenía secretos y estaba acostumbrado a guardarlos bien, pero no a conocer gente que ocultaba cosas.

Le gustaría alargar la mano para tocar su pelo, largo y de un rubio glorioso. Cuando se movió, sus piernas se rozaron.

–¿Sabes que cuando me acerco a ti respiras con dificultad?

–Por miedo –dijo ella.

–¿De qué tienes miedo? Anoche no lo tenías.

–No voy a decir que fue un error, pero es algo que no puede repetirse.

–¿Tienes novio? ¿Estás casada? –le preguntó Rhys, sintiendo una ridícula punzada de celos.

–Pues claro que no. ¿Qué clase de persona crees que soy?

–La verdad es que no lo sé. Por eso quiero que cenemos juntos, para conocernos mejor.

–Me sorprende que quieras estar conmigo cuando piensas tan mal de mí –dijo Sienna–. Primero crees que quería quedar embarazada, luego que engaño a mi marido...

–Perdona, tienes razón. Vamos a empezar de nuevo y a olvidar lo que pasó anoche. Y los últimos cinco minutos porque he metido la pata hasta el fondo.

Por fin, la vio sonreír.

–Sólo me he sentado a tu lado... para que me prestaras tu crema solar.

–¿Crema solar? Venga ya, seguro que se te ocurre algo mejor.

Rhys soltó una carcajada.

–Es temprano y no he dormido bien, así que

tendrá que valer. Tú eres una buena persona y me vas a prestar tu crema solar.

–¿No quieres que extienda la crema por tu espalda?

Rhys parpadeó. «Sí, dame la crema donde quieras».

–No sé, tal vez eso sea ir demasiado rápido. Acabamos de conocernos y estamos charlando. ¿Yo me llamo Rhys... y tú?

–Sienna.

–Estamos aquí de vacaciones y hace un tiempo estupendo, ¿verdad? Tú sonríes, asientes con la cabeza… –Rhys hizo una pausa, esperando.

–Muy bien, de acuerdo –Sienna sonrió por fin.

–Y me gustaría saber si quieres cenar conmigo.

–No, mejor no.

–Estamos de vacaciones. ¿Por qué no unir fuerzas y ver la ciudad juntos? –insistió él–. Podemos cenar e ir a una discoteca después –Rhys se dio cuenta de que volvía a ponerse colorada.

–¿Por qué no comemos juntos en lugar de cenar?

Comer. Estaba yendo a lo seguro, a paso lento. Y debería alegrarse de que no hubiera dicho: «Tal vez podríamos tomar un café». Además, un almuerzo podía llevar a una tarde lánguida y perezosa… o no tanto. Y a una botella de sauvignon blanco y una mariscada en su restaurante favorito.

No, supuestamente él era un turista normal y tendrían que ir a un sitio que no conociera. De hecho, preferiría que no fueran a un restaurante porque no quería que nadie lo reconociese.

–Comer juntos también estaría bien.

–Muy bien, de acuerdo.

–¿Es una cita? ¿No vas a desaparecer?

–No –contestó ella, decidida.

–¿Nos vemos a la una y media en el vestíbulo del hostal, al otro lado del paseo?

Sienna arrugó el ceño. ¿Por qué había elegido precisamente el hostal? ¿Sabía que se alojaba allí?

–Allí estaré.

Necesitaba pensar, trazar un plan y perfeccionar su nueva identidad, pensaba Rhys mientras se acercaba a recepción. En el mostrador estaba el mismo tipo de por la noche, pero esta vez le sonrió.

–¿Se marcha?

–¿Trabaja aquí las veinticuatro horas? –le preguntó Rhys.

El joven se encogió de hombros.

–Necesito el dinero.

–Y yo necesito unas cuantas noches más.

–¿Ha encontrado lo que buscaba? –el joven miró la pantalla del ordenador.

–Tal vez.

Unos minutos después, Rhys salía del hostal y se dirigía a la parada de taxis para ir a su apartamento, intentando no sentirse culpable. Rhys Maitland no quería ser Rhys Maitland durante unos días. Quería ser libre. Al fin y al cabo, estaba de vacaciones y quería hacer lo que le viniera en gana. ¿Qué importancia tenía? Maitland, Smith, Monroe, ¿qué había en un apellido?

Había ido demasiado lejos como para echarse

atrás y quería estar con Sienna más de lo que quería ser sincero con ella.

Una vez en su apartamento, empezó a meter algo de ropa en una bolsa de viaje... pero se detuvo cuando sonó su móvil. Era un mensaje de texto de Tim.

¿Dónde demonios estás?

Rhys sonrió. Se había olvidado de Tim y los demás por completo. Debería haberlos ayudado a guardar los instrumentos y tenía que ir a una barbacoa que organizaba Tim para los nuevos internos del hospital esa misma tarde.

Pero tenía otros planes. Mejores. Iba a pasarlo bien.

De modo que escribió:

Estoy de vacaciones.

Después de enviar el mensaje esperó la confirmación. Y luego, con una sonrisa en los labios, apagó el móvil.

Capítulo Cinco

Pantalones eran la única opción, junto con el obligatorio top de cuello alto. Se iba a morir de calor, pero en realidad se moriría de calor de todas formas al estar cerca de Rhys.

Entonces vio una nota que las chicas habían dejado sobre la cama…

Tenemos muchas preguntas que hacer y queremos respuestas.

Sonriendo, y haciendo una mueca al mismo tiempo, empezó a buscar algo que ponerse para su cita con Rhys. Debería haber dicho que no, debería haber sido antipática con él y dejar que pensara lo que quisiera.

Imposible.

No quería ver un brillo de disgusto en sus ojos. Así que iría. A comer. Haría lo que Rhys había sugerido y jugarían el juego al revés, pero no habría otro encuentro, ningún contacto. Claro que podría darle el beso de despedida que no le había dado la noche anterior.

Después de ponerse un pantalón cargo con bolsillos de cremallera para todo propósito, se miró al espejo.

No, ni muerta. Aunque no fueran a tocarse, no pensaba ir hecha un asco. Esos pantalones estaban bien para ir de excursión, pero para comer en una terraza de Sidney en verano... no, imposible. Tenía que ponerse una falda. Sí, una falda vaquera. La cuestión era encontrar una camiseta de cuello alto.

Sienna suspiró. Estaba dándole demasiadas vueltas al asunto. Sólo iban a comer juntos, se repitió a sí misma por enésima vez. Era una tontería estar tan emocionada. Aquello no era más que el final de una fantasía hecha realidad.

«Ve y disfruta del almuerzo, de la mitad de la cita que te perdiste anoche. Deja que vea que no eres una mujer desesperada por quedar embarazada y luego márchate».

¿A quién quería engañar? No tenía nada que ver con lo que Rhys pensara, sino con lo que ella quería: pasar más tiempo con él. Y no sólo porque se sintiera increíblemente atraída por Rhys, sino porque le gustaría conocerlo mejor. Había algo en esos ojos gris verdoso que le gustaría explorar.

A mediodía, salió de la habitación y bajó a la entrada del hostal. Allí estaba, frente al mostrador de recepción, mirándola mientras bajaba la escalera.

La hacía sentir como si fuera una modelo, pensó, como si no pudiera dejar de mirarla. Nadie la había mirado así nunca. Pero, por una vez, era el centro de atención, estaba en medio del escenario, no entre cajas, siendo la protagonista y no el público.

Y ella sólo podía ver a Rhys, la fuerza de su presencia, su estatura, el brillo burlón de sus ojos. El deseo que había en ellos la hizo temblar. Pero también la hizo recordar que se echaría atrás en cuanto viera la cicatriz.

Podría mentir, como había hecho Neil, y decir que no importaba, pero ella sabía que no era verdad. Apartaría la mirada, miraría al suelo...

–Dime que te gusta el pescado.

–Me gusta el pescado.

–¿En serio?

–Sí, claro.

–Vamos a comer en la playa.

Rhys señaló una nevera portátil, una manta y una sombrilla que había dejado apoyadas en la pared. Sin decir nada, Sienna tomó la sombrilla y juntos cruzaron el paseo marítimo para ir a la playa. Afortunadamente, pronto encontraron un sitio más o menos tranquilo entre la gente.

Pero se alegraba de que hubiera gente alrededor y de que fuese de día porque tenía que calmarse. Cuando Rhys estaba con ella tenía la extraña sensación de que cualquier cosa podía pasar, que todo era posible. Y no era así. Rhys no sabía nada sobre ella y cuando lo supiera todo cambiaría. Y ella no quería ver ese cambio, de modo que lo mejor sería terminar antes de haber empezado. Tenía que terminar para que la fantasía no se convirtiera en una pesadilla.

Rhys colocó la sombrilla sobre la arena.

–¿De dónde has sacado todas estas cosas en tan poco tiempo?

–La sombrilla es del hostal, he comprado la nevera en una tienda aquí al lado y la comida en el mercado.

Cuando colocó la manta sobre la arena, Sienna se alegró de haberse puesto una falda porque, aunque la sombrilla evitaba el sol, hacía un calor tremendo.

–¿Quieres beber algo? –Rhys abrió una botella de sauvignon blanco, sujetando dos copas con la otra mano.

–Sí, gracias.

Sus manos se rozaron cuando le dio la copa y, con más suerte que habilidad, Sienna consiguió que no se le cayera.

No sabía de qué hablar, así que le hizo preguntas tontas y apenas oyó las respuestas. Aliviada, vio cómo sacaba una bandeja de pescado de la neverita. Rhys sacó una barra de pan y la partió para los dos.

Fresco, sabroso, satisfactorio. La suculenta comida, mejillones, gambas, colas de langosta. Rhys le dio una ostra haciéndole un guiño.

–Tengo entendido que las ostras son un afrodisíaco.

Rhys soltó una carcajada.

–Estoy haciendo todo lo que puedo para seducirte.

Ya lo había hecho. Y ella había sucumbido y lo haría de nuevo si no se controlaba un poco. Él había salido a pasarlo bien, eso era evidente y si ella pudiera olvidar su historia haría lo mismo.

Comieron, charlaron, se miraron... él era tan guapo que no podía dejar de mirarlo. Intentó concentrarse en un partido de voleibol que un grupo de jóvenes jugaba cerca de ellos, asombrada de que las mujeres pudiesen llevar unos biquinis tan minúsculos.

–¿Quieres jugar?

–No, no.

–¿No?

–No se me dan bien los juegos.

No había jugado nunca. Siempre se había quedado a un lado porque su madre, tan protectora como su hermano, le decía que no debía hacerlo.

De modo que no había jugado nunca y no pensaba demostrarle a Rhys, y a un montón de gente, que no sabía cómo sujetar una pelota.

–Si quieres, yo puedo ayudarte.

–¿A qué?

–A manejar una pelota.

Sienna se aclaró la garganta.

–No solía tomarte parte en deportes de equipo cuando estaba en el colegio.

–¿Y qué hacías entonces?

–Estaba en una orquesta… hacía percusión.

–Ah, eras la chica que tocaba los platillos.

Sienna soltó una carcajada.

–Sí, claro, mi momento de gloria llegaba cuando terminaban todos los demás.

–Así que nada de deportes de equipo. ¿No corrías o hacías maratón?

–No, qué va.

–Pero estás en forma, sé que estás en forma.

–Sí, bueno… hago yoga.

–¿En serio?

–Y pilates, tai-chi, un poco de todo lo que me sirva para tener flexibilidad.

–¿Flexibilidad? –repitió él–. Qué interesante.

Estaba mirando sus piernas y Sienna casi podía ver lo que estaba pensando pero, haciendo un esfuerzo, se volvió para mirar de nuevo a los jugadores.

No había sido buena idea comer con él en la playa. ¿Cómo podía haber pensado que podía comer con el hombre más sexy del mundo y resistirse a la tentación? Especialmente cuando él estaba dejando claro que quería tentarla.

Pero Rhys empezó a hablar de nuevo, haciéndole preguntas para que se relajara. En realidad, no encontraba ninguna razón para que no le gustase aquel hombre. Pero unos minutos después se dio cuenta de que no estaba descubriendo nada sobre él, aparte de que el pantalón corto le quedaba de maravilla. Normalmente, ella era la que escuchaba, la que hacía preguntas sobre la vida del otro. Le gustaba saber cosas de la gente y decidió hacerle alguna pregunta.

–¿Por qué has venido a Sidney de vacaciones?

Rhys se encogió de hombros.

–Necesitaba un cambio de aires.

–¿Has venido para ver a tus amigos?

–Sí, bueno... Tim es un compañero de universidad.

Y no dijo nada más. Sienna lo miró, intentando leer algo en su expresión, pero aunque simpático, parecía reservado. Tenía secreto, pensó. Muy bien, también ella tenía secretos y aquello era simplemente el final de una noche increíble. No iba a preguntarle cuáles eran sus miedos o sus sueños.

Y entonces Rhys sonrió y Sienna no pudo dejar de mirar su boca. Esa sonrisa, esos labios. Nerviosa, se pasó una mano por la frente, intentando recordar qué iba a decir.

–¿Tienes calor? –le preguntó él.

–Sí, un poco.

–¿Quieres que nademos un rato?

«Sí, seguro».

De repente, Sienna se imaginó nadando con él, tumbados en la playa, las piernas enredadas como en una película de Hollywood. Pero había mucha gente en la playa y, además, para eso tendría que revelar lo que quería esconder.

–No he traído bañador.

–Vaya, yo esperaba verte en biquini.

–Nunca uso biquini. No me gusta... que me dé tanto el sol.

Rhys miró sus piernas bronceadas levantando una ceja, pero después se encogió de hombros.

–Bueno, si no podemos nadar un rato, voy a comprar un helado.

Sienna notó que se movía con innata elegancia mientras se acercaba al puesto de helados y suspiró, absurdamente contenta a pesar de todo. El calor del sol y la buena comida la adormilaban y la noche anterior apenas había conciliado el sueño... de modo que cerró los ojos, relajada. Pensando en él, en cómo podría haber sido si las cosas fueran diferentes. Soñando cosas peligrosamente eróticas...

***

–Hola, dormilona.

Rhys había vuelto, pero Sienna no abrió los ojos. Se sentía tan bien pensando en él…

Entonces sintió que algo frío tocaba su boca y se pasó la lengua por los labios.

–¿Te gusta? –su voz sonaba muy cerca.

–Sí –murmuró ella.

–¿Más?

–Sí, por favor.

Sienna notó que pasaba un dedo por sus labios.

–¿Te importa compartir?

No tuvo tiempo de contestar, sólo de suspirar al sentir el roce de su lengua. Y, sin poder evitarlo, le devolvió el beso. Un beso más para un hombre que la deseaba como no la había deseado ningún otro. Pero era un beso profundo, hambriento, que prometía placeres sin límite.

No quería que dejara de besarla, la sensual caricia haciendo que se olvidase de todo lo demás.

Rhys se tumbó a su lado y pasó un brazo por su cintura, haciéndola su prisionera. Pero ella quería el resto de su peso y no pudo evitar abrir las piernas, levantar la pelvis hacia él.

Deseaba… deseaba…

Cuando Rhys empezó a acariciar su abdomen y a mover la mano hacia arriba, Sienna se incorporó de un salto, abriendo los ojos. No, no, otra vez no.

–¿Sienna?

–Lo siento, no puedo. Lo siento mucho –empezó a decir, con los ojos empañados–. De verdad, lo siento mucho.

***

Rhys la vio correr por la playa y soltó una palabra por la que se ganó una mirada de desaprobación de la familia que estaba a su lado.

Había vuelto a hacerlo, había vuelto a marcharse de repente. ¿Qué demonios le pasaba a aquella chica?

El instinto le decía que no era una frívola, que no estaba intentando calentarlo para luego dejarlo con dos palmos... de narices. Enfadado consigo mismo y con ella, guardó las cosas en la neverita, tomó la sombrilla y se dirigió al hostal.

Y fue directamente a la habitación de Sienna. Pero parecía haber un congreso de mujeres allí. Y todas lo miraban como si fuera un marciano. Pero, debido a su trabajo en el hospital, Rhys estaba acostumbrado a entrar en habitaciones llenas de mujeres y dirigirse a ellas no era algo que lo intimidase. Además, sólo le interesaba *una* de esas mujeres.

–¿Sienna está aquí?

–Sí, claro –respondió una de ellas.

Rhys reconoció a la que contestaba como una de las chicas que estuvieron en el bar por la noche.

De repente, fue como si se abriera el mar Rojo y al fondo, sentada en una cama, estaba Sienna, colorada como un tomate y mirándolo con cara de enfado.

–No puedes entrar aquí.

Rhys carraspeó. Era hora de mostrarse encantador. Al fin y al cabo, era un Maitland, tenía los genes y la educación necesarios para serlo. Podía no gustarle, pero hablar en público era algo que le habían enseñado desde pequeño.

–Siento molestar, señoritas, pero necesito explicarle algo a mi amiga Sienna –empezó a decir, sin dejar de mirarla–. Verán, le debo una disculpa.

Aún no sabía si le debía una disculpa, pero ellas no tenían por qué saber eso.

Todas las cabezas se volvieron hacia Sienna y luego hacia él.

–¿Quieres pedirle perdón?

–Eso es. Lo haría de inmediato, pero necesito estar a solas con ella.

Sus enormes ojos azules estaban clavados en él, con una mezcla de incredulidad y rabia que le pareció increíblemente divertida.

–Esto es mejor que una película –dijo una de las chicas.

–Rhys, por favor... –empezó a decir Sienna, avergonzada–. Soy yo quien le debe una disculpa, no él.

Sabía que quería despedirse, pero Rhys no estaba dispuesto a hacerlo.

–Vamos a tomar un café.

–No, no puedo. He prometido ir a una galería de arte con Brooke.

Pero él no pensaba dejarla escapar por tercera vez.

–Muy bien, podemos vernos más tarde entonces –Rhys estudió a su público, pensando que tal vez podrían ayudarlo–. ¿No creéis que debemos vernos otra vez? Necesito hablar con ella.

–Deberías hablar con él –dijo una de las chicas.

Las tenía comiendo en la palma de su mano, pensó Sienna.

–Pobrecito.

–Te verá luego, en el bar –anunció otra, una que había estado en el bar por la noche–. A las seis en punto.

–Sí, señora.

No se quedó para ver si Sienna aceptaba o no, pero en sus ojos vio angustia, rabia, desgana. Y también deseo.

Capítulo Seis

Sienna no fue a la galería de arte, se fue de compras. Era patética, pensó. Pero quería verlo otra vez, no podía evitarlo. Y quería que fuese como la noche anterior, de modo que tenía que encontrar un nuevo top, cualquier cosa tras la que pudiera esconderse.

Pero se detuvo en el mostrador de cosméticos. El maquillaje podía crear una cicatriz en el cine, ¿podría también disimularla?

Se había probado un montón de tops, pero no había visto ninguno de cuello alto. Todo eran muy veraniegos, escotados, exactamente lo que ella no quería.

Desesperada, se dirigió a la sección de corsetería. Un conjunto de ropa interior debería ayudarla a sentirse más segura de sí misma, ¿no?

–¿Qué tal la galería? –en vaqueros y camisa, con un vaso de cerveza en la mano, Rhys estaba esperándola. Y en sus ojos había muchas preguntas que Sienna tendría que responder con sinceridad.

–No he ido a la galería. Me fui de compras.

–¿Has comprado algo interesante?

–No –mintió Sienna.

Había comprado el conjunto de ropa interior

que llevaba puesto. Si iba a hundirse, lo mejor sería hacerlo con un conjunto nuevo. De encaje a ser posible.

–Sienna…

–Vámonos de aquí –dijo ella, tomando su mano.

No quería que las chicas del hostal, a las que apenas conocía, presenciaran el encuentro. Aquello iba a terminar en lágrimas, para ella al menos, y lo mejor sería hacerlo de inmediato.

Rhys dejó que lo guiase sin decir nada. Sienna no sabía dónde iba, sólo quería alejarse de los recuerdos de aquella noche porque estaba a punto de destrozarlos.

Pero el roce de su mano la hacía sentir más viva que nunca. No la asustaba, la seducía.

De repente, entró en un callejón al lado del hostal y se volvió para mirarlo.

–Sienna…

Ella lo calló empujándolo contra la pared. Rhys la abrazó sin decir nada y se besaron intensamente, como si el momento en la playa no hubiera sido interrumpido. Sienna le echó los brazos al cuello, apretando las caderas contra él…

–¿Se puede saber qué te pasa?

Sienna no quería pensar, no quería hablar, no quería admitir nada todavía. Sólo quería besarlo y olvidar sus miedos.

–¿Me deseas? –susurró Rhys–. Dilo.

–Sí –murmuró ella–. Te deseo.

Él enredó los dedos en su pelo y la besó, poniendo en ese beso la frustración que llevaba sintiendo toda la tarde. Un beso que la dejó sin aliento.

Sienna se abrazó a él, sin pensar. Si había logrado salirse con la suya una vez, ¿no podría volver a hacerlo? Si pudiera mantener sus manos ocupadas como había hecho por la noche…

Sin reflexionar, bajó las manos para buscar su cinturón. Una vez más, sólo una vez.

Pero Rhys se apartó.

–No.

Ella lo miró, sorprendida. Y dio un paso atrás al ver un brillo de enfado en sus ojos.

–Si vamos a hacer esto, vamos a hacerlo bien. ¿Tu habitación o la mía?

Sienna apartó la mirada. Lo que más deseaba en el mundo era estar en una cama con él, pero no sería lo mismo. Se asustaría, como Neil, y después saldría corriendo. O la trataría como una frágil pieza de cristal y ella odiaba que la envolviesen entre algodones.

–¿Por que no quieres que te vea desnuda? –le preguntó él entonces. Sienna intentó apartarse, pero Rhys tiró de ella–. Dejas que te bese, dejas que te toque, pero no quieres quitarte la ropa.

Sabía que era inevitable. Pensaba que iba a salirse con la suya, que Rhys no se daría cuenta, pero se había dado cuenta.

–¿Por qué? –insistió él.

Sienna puso un dedo sobre sus labios y cuando él lo besó supo que, pasara lo que pasara, no podría volver a salir corriendo. Era humana y la tentación demasiado fuerte. Tenía que arriesgarse.

–Tengo una cicatriz…

–Yo también. Tú me enseñas la tuya, yo te enseño la mía.

Sienna levantó una ceja, sorprendida.

–¿Una cicatriz grande?

–Muy grande.

En realidad, no lo era. Pero lo que representaba sí era grande. Y doloroso.

–No puede ser tan grande como la mía.

Rhys se encogió de hombros.

No lo entendía, pensó ella. Seguía sin entenderlo. Incapaz de soportarlo más, tiró del cuello de la camiseta hacia abajo. La cicatriz era una línea recta desde la base de la garganta hasta el centro de su cuerpo, perdiéndose por debajo del sujetador.

Enseguida vio su gesto de sorpresa y luego, la mirada inevitable: una mirada de miedo. Intentó disimular, por supuesto, pero Sienna lo había visto.

Rhys no dijo nada, se quedó inmóvil mirando su pecho, abriendo un poco los labios para respirar.

La rabia y el amor propio hicieron que Sienna levantase la barbilla. Como había imaginado, la llama de deseo había desaparecido de sus ojos.

No se había apartado, pero era casi como si lo hubiera hecho.

Angustiada, salió corriendo sin mirar atrás. Y Rhys no fue tras ella, no la llamó, no pareció moverse.

Sienna respiraba profundamente, intentando contener los sollozos.

«Olvídalo, olvídalo».

Pasó al lado de Curtis en el mostrador del hostal y se dirigió a la sala de televisión, sabiendo que a aquella hora estaría vacía porque todo el mundo se habría ido de copas. Eligió un sillón al fondo de la sala y, encogida como un gato, escondiéndose del mundo, sacó su diario del bolso.

La lista de intenciones para el nuevo año parecía burlarse de ella. Se dijo a sí misma que no importaba, pero no era cierto.

Neil también había dado un paso atrás en cuanto vio la cicatriz. Y, a partir de entonces, no volvió a tratarla del mismo modo. Además, se lo contó a todo el mundo.

Acababa de escapar de la notoriedad de un pueblecito donde era «la chica del corazón» y quería empezar de nuevo, ser normal, ser como todos los demás en la universidad. Pensó que podía confiar en Neil, pero había cometido un error. Su secreto estaba en boca de todos y, de nuevo, tuvo que soportar las miradas de compasión. Sin entender que ella no quería eso, Neil se había vuelto más protector, asfixiándola por completo con sus atenciones. Era peor que su madre y su hermano juntos.

Ella quería libertad, quería ser como los demás, que la tratasen como a los demás. En parte, ésa era la razón por la que se iba al otro lado del mundo a empezar de nuevo.

Sienna volvió a leer la lista y luego, por primera vez desde que empezó a escribir el diario, arrancó una de las páginas.

Rhys apoyó la espalda en la pared de ladrillos, intentando calmarse. Se sentía furioso, angustiado y, sobre todo, decepcionado consigo mismo.

¿Qué había sido de sus años de experiencia como

médico, de su famoso encanto con los pacientes? Durante un segundo, después de la sorpresa, se había quedado admirado por el trabajo del cirujano. Pero entonces entendió, esa cicatriz era la consecuencia de una operación a corazón abierto. Y pensar en Sienna en la mesa de operaciones lo había angustiado. Alguien tan joven y tan lleno de vida...

Una tontería cuando él se enfrentaba con eso a diario en el hospital. Él sabía que la muerte esperaba en cualquier esquina del camino, a cualquiera. Él mismo había pasado por eso de niño. Con Theo.

No bromeaba al hablar de su propia cicatriz, pero lo peor era la que llevaba por dentro.

Aunque a Sienna le habían operado el corazón, era el suyo el que estaba roto y nunca había curado bien. Pero nunca revelaría la profundidad de su dolor a nadie.

Suspirando, se dirigió de vuelta al hostal. Tal vez debería marcharse, pensó. Sienna estaría enfadada con él y él estaba enfadado con ella por no darle una oportunidad. Por salir corriendo sin esperar.

Pero cuanto más pensaba en ella, mayor era su necesidad de volver a verla. No podía marcharse así. Quería borrar el dolor que había visto en sus ojos, quería verlos cargados de deseo otra vez. Y se negaba a analizar por qué.

Tim le había dicho que se relajase, que sólo iba a estar allí unos días. Aquello podía ser una aventura de vacaciones, ¿por qué no? No estaban hablando del futuro, de tener hijos. Estar con ella una vez más no podía hacerles daño. Y tal vez los dos podrían olvidarse de sus cicatrices por unos días.

Curtis estaba detrás del mostrador de recepción, como siempre.

–¿Te tienen atado? –bromeó Rhys.

El joven, que estaba leyendo una revista de cotilleos, levantó la mirada.

–Está en la sala de televisión. Y creo que tú tienes un problema.

–¿No me digas?

La encontró en una esquina, sentada en un sillón. Sienna levantó la cabeza al oír sus pasos y Rhys la vio guardar algo en el bolso.

–Eso de salir corriendo se está convirtiendo en una costumbre.

–Sé sincero, esta vez te has alegrado de que lo hiciera.

–No, no me he alegrado en absoluto y no quiero que vuelvas a hacerlo.

Sienna lo miró, con los ojos ensombrecidos.

–Mira, no...

–Yo no te he enseñado mi cicatriz. Te fuiste antes de que pudiera hacerlo.

–Te quedaste helado.

–No estaba preparado.

–Es mejor así, de ese modo he visto una reacción sincera.

–No es justo, Sienna. ¿Qué esperabas que hiciese? Claro que me he quedado sorprendido. En cualquier caso, parece que esa cicatriz te salvó la vida, ¿no?

Ella apartó la mirada.

–¿Salió bien la operación?

–Evidentemente.

Rhys tuvo que esconder una sonrisa.

–Ven –dijo luego, tomando su mano–. Tengo que enseñarte algo.

–Rhys, no quiero…

–Ven conmigo –la interrumpió él–. Por favor.

Sienna se levantó sin decir nada y dejó que la llevase a la habitación, lejos de Curtis y de las miradas curiosas.

–Tu cicatriz no es para tanto. La mía es mucho más grande.

Sienna parpadeó mientras Rhys desabrochaba su pantalón y lo dejaba caer al suelo. No llevaba calzoncillos, de modo que…

Sí, seguía deseándola.

Él movió una pierna para mostrarle una cicatriz en el muslo izquierdo, donde se había clavado los cristales. Era antigua, pero no había desaparecido. Algunas cicatrices no desaparecían nunca.

Sienna arrugó el ceño.

–No es una cicatriz importante. No te salvó la vida.

–No, es verdad.

Al contrario, se la había quitado. Era un constante recordatorio de ese día de impotencia y de angustia. Un día que no pensaba vivir de nuevo. Un error que no pensaba repetir.

–Yo tampoco quiero hablar de ello.

Ni pensar en ello. Sólo quería pensar en Sienna, en la diversión, en una aventura con la mujer más sexy que había conocido nunca.

Los dos podrían olvidar sus heridas por un momento.

Rhys dio un paso adelante, pero ella estaba inmóvil, tensa. Y creía saber por qué. Muy bien, no iban a poder olvidar las cicatrices por el momento… al menos la de ella.

Rhys inclinó la cabeza para besar la comisura de sus labios, su cuello.

–Tú no eres fea, tu cicatriz no es fea.

–Ya sé que no soy fea –dijo ella–. No es eso lo que me preocupa.

–¿Entonces?

–La gente ve la cicatriz y empieza a portarse como si fuera de cristal. Cuando llevo una camiseta con escote veo sus miradas de curiosidad… me miran y enseguida apartan la mirada, pensando que soy un monstruito o que me quedan unos días de vida.

–¿Y es así?

–Bueno, puede que sea capaz de dar un par de volteretas, pero tardaría años en aprender a hacer malabarismos.

–¿Sabes dar volteretas?

–Por supuesto.

–Muy bien, ya me lo demostrarás más tarde. Por el momento, estás diciendo que no eres un número de circo y que no vas a caer muerta en cinco minutos, ¿no?

–Eso es.

Rhys esperó, sabiendo que había más. Sienna aún no estaba preparada.

–Lo de anoche… –empezó a decir–. Fue maravilloso.

–Sí, yo pienso lo mismo –asintió él.

–Tú no lo sabías.

–¿Y crees que la cicatriz cambia algo?

Sienna se había puesto colorada, pero lo miró a los ojos.

–Sólo quiero hacer las cosas como las hace todo el mundo.

–No quieres que te trate como si fueras de cristal.

–Eso es.

–Quieres ser como los demás –repitió Rhys–. Pues lo siento, cariño, pero es imposible que tú seas como los demás. Tú eres especial –le dijo. Era muy especial y él estaba más excitado que nunca–. ¿Quieres que descubramos cuánto placer eres capaz de sentir?

Sienna empezó a temblar. Sus ojazos azules estaban clavados en él y en ellos veía sus sentimientos: incredulidad, emoción, tentación.

Rhys no podía creer lo que estaba diciendo, pero sabía que era lo que Sienna necesitaba. Y lo que él necesitaba; la oportunidad de olvidarse de sí mismo, de su vida. La oportunidad de enterrarse en ella y hacer que olvidase el trauma, mostrarle lo divertido que podía ser.

–Muy bien –dijo Sienna por fin.

Rhys la abrazó, satisfecho al saber que no volvería a salir corriendo, que tendría todo el tiempo que necesitase para satisfacer su deseo. Al fin habían llegado a un acuerdo.

***

Nadie la había mirado antes con tal mirada de deseo. ¿De verdad no le importaba?, se preguntó.

–¿Puedo tocarla?

Sienna asintió con la cabeza y Rhys pasó un dedo por la línea blanca entre la base de la garganta y el diafragma.

–¿Puedo tocarte aquí? –murmuró luego, rozando sus pezones a través del sujetador–. Es muy bonito, pero lo que hay debajo es más bonito aún –añadió, apartando el encaje para besar sus pechos.

Sienna contenía el aliento, nerviosa.

–¿No te asusto?

Rhys soltó una risita.

–¿Una cosita tan pequeña como tú?

–¿Esto no te asusta?

–No –dijo él, pasando los nudillos por uno de sus pezones–. Yo te diré lo que me asusta: pensar que no voy a tenerte una noche entera contigo, pensar que no vamos a hacerlo como conejos.

Sienna soltó una carcajada.

–¿Y cómo lo hacen los conejos?

–No lo sé, pero creo que lo hacen muy a menudo.

Rhys inclinó la cabeza para pasar la lengua por uno de sus pezones, despacio, sabiendo lo que hacía, lo que le hacía.

No parecía molesto o asustado por la cicatriz, su deseo no había disminuido en absoluto, al contrario. Y Sienna pensó que de verdad no le importaba, que la deseaba tanto como la noche anterior. No se preocupaba por ella porque no estaba invirtiendo nada; aquélla era una aventura de vacaciones. Ni siquiera habían hecho planes para el día siguiente. Era sexo, nada más.

Y era perfecto, estaban viviendo el momento como ella quería. Sin garantías, dejándose llevar.

Rhys desabrochó el botón de su falda, enganchando el elástico de las braguitas al mismo tiempo.

–Tienes las piernas más bonitas que he visto nunca –murmuró, poniéndose en cuchillas frente a ella.

Sienna bajó la mirada. Metro noventa de músculo a sus pies, mirándola con deseo a pesar de la cicatriz. Temblando, se apoyó en sus hombros y Rhys se incorporó.

–¿Tienes idea de las cosas que se me han pasado por la cabeza en estas veinticuatro horas?

Ella apoyó la cabeza en su pecho.

–¿Quiero saberlo?

–Seguro que sí, pero no voy a decírtelo. Voy a hacerlo.

Unos segundos después, estaban desnudos. Rhys la llevó a la cama y levantó sus piernas para besar el interior de sus muslos.

–¿Te gusta?

Nada podía ser mejor que el roce de su barba sobre tan delicada piel.

–Sí...

Estaba ardiendo, empapada, y aún no la había tocado allí. No podía esperar y cuando levantó las caderas, Rhys sonrió.

–Rhys...

Él inclino la cabeza y Sienna dejó de respirar. Nunca había estado así con un hombre. Nunca había querido que nadie hiciera lo que él estaba haciendo.

La acariciaba con los dedos, con la boca. Sienna le decía lo que quería y, por una vez en su vida, alguien estaba escuchando. Iba de viaje y, además, ella era la conductora.

Rhys levantó la cabeza.

–No podemos ir tan deprisa, cariño.

–¿Por qué?

–Quiero que estés preparada de verdad.

Pero estaba preparada. Más que preparada.

De repente, él se puso de rodillas sobre la cama y, como si fuera una muñeca, levantó sus piernas para colocarlas sobre sus hombros.

–Veo que no bromeabas sobre la flexibilidad.

Sienna sonrió, sacudiendo la cabeza. En esa posición estaba tan expuesta... y, sin embargo, no le importaba. Al contrario.

Con expresión traviesa, Rhys se colocó sobre ella, poniendo las caderas sobre las suyas y sujetando su peso con una mano mientras la miraba a los ojos.

Cuando entró en ella, Sienna dejó escapar un grito.

–¿Te duele?

–No, no...

Sienna levantó las caderas del colchón para recibirlo mejor, siguiendo su ritmo. No podía contener los gemidos de placer, de deseo. Aquello era increíble.

Lentamente, pero con el impacto de un camión de diez toneladas, Rhys entró en ella, empujando con fuerza y apartándose milímetro a milímetro después.

Nunca se había sentido tan totalmente poseída. No podía moverse, no podía abrazarlo. En lugar de eso, levantó los brazos para sujetarse al cabecero de la cama, pero con cada embestida Rhys se llevaba un poco de ella.

–¿Te gusta?

–Sí.

–¿Quieres más?

–Sí.

–¿Más fuerte?

–Sí.

A partir de entonces no pudo decir nada. Sólo podía gemir, pero de manera inconsciente, mirándolo, sintiéndolo. Estaba tocándola por dentro y de una manera tan exquisita que creyó que no podría soportarlo. El calor de su cuerpo era tan intenso que sacudía la cabeza de un lado a otro, queriendo que parase, no queriendo que parase nunca.

–Devuélvemelo todo, como anoche –dijo Rhys con voz ronca–. Tú no quieres que yo tenga miedo, yo no quiero que lo tengas tú.

Empujó sus piernas hacia los lados, abriéndola de tal forma que cada vez que se echaba hacia delante entraba en ella por completo, el hueso de su pelvis frotándose contra ella, atormentándola, llevándola casi hasta el final.

Sienna se agarró con fuerza al cabecero de la cama. No podía aguantar más, no podía...

–¿Más? –con una mano apoyada en la almohada, el bíceps marcado, la expresión de Rhys demostraba que tampoco él podría contenerse durante mucho tiempo.

–Sí, sí...

Rhys empujó de nuevo y ella perdió la cabeza.

Cerró los ojos en la agonía del éxtasis, sus gritos resonando por toda la habitación.

Y él se quedó rígido mientras murmuraba una sola palabra antes de derramarse en ella:

–Perfecto.

Capítulo Siete

–Tenemos que descansar un rato –Rhys tomó una botella de agua mineral que había en el suelo y se la ofreció a Sienna antes de tomar un trago.

Y ella dejó escapar un suspiro, preguntándose si recuperaría el aliento algún día. Y sabiendo que cuando recuperase el aliento volverían a hacerlo. Una y otra vez. Nunca se había sentido más viva.

–Cuéntamelo ahora.

–¿Sobre la cicatriz?

Rhys asintió con la cabeza.

¿Por qué no iba a hacerlo? No mentía al decir que no le importaba. La había roto en pedazos antes de volver a reunirlos y le había demostrado que no pasaba nada. Podía contárselo todo sabiendo que no iba a tratarla de otra manera porque ya lo había demostrado.

–Nací con un problema de corazón. Mis válvulas cardiacas no funcionaban bien y tuvieron que reemplazar un par de ellas.

–¿Un par de ellas?

–Sí.

–¿Y cómo lo descubrieron?

–Mi padre murió de un problema de corazón cuando yo era pequeña. Era muy joven y fue muy duro para mi madre. La pobre temía que mi hermano y yo hubiésemos heredado ese problema, así que nos hicieron pruebas... y descubrieron que yo lo había heredado.

–Ah, ya.

Sienna entendía el miedo de su madre, pero se negaba a cargar a nadie con esa preocupación, con esa continua angustia. Y se negaba a dejar que nadie controlase su vida como la había controlado su familia... incluso con la mejor de las intenciones.

Su relación con Neil había cimentado esa decisión. De modo que nada de relaciones sentimentales, nada de matrimonio y nada de hijos. No quería que heredasen su desastroso corazón. Ése era el precio que estaba dispuesta a pagar por tener la libertad que deseaba.

–A mi madre le daba pánico perderme como había perdido a mi padre... yo sé que lo hacía con la mejor intención, pero sus miedos eran una pesadilla para mí. Y los de Jake, mi hermano. Lo entiendo, pero eran tan protectores, tan superprotectores, que me ahogaban. Y todo el mundo lo sabía. Mi problema parecía definirme como persona, dictando lo que era: la chica con el corazón estropeado –Sienna se cubrió con la sábana–. He estado yendo al médico toda mi vida. Segundas opiniones, chequeos, exámenes, análisis... en cuanto estornudaba me llevaban al maldito médico. Y los odio, odio a los médicos. Constantes análisis, constantes preguntas. Siempre diciéndote lo que puedes hacer y lo que no puedes hacer. Aunque mi madre sólo escuchaba esto último –Sienna dejó escapar un suspiro–. Pero ya me han operado, ya he terminado mis estudios, estoy bien, fuerte y quiero vivir.

Seguía odiando a los médicos. Sabía que era ridículo ya que le habían salvado la vida, pero la habían protegido durante tanto tiempo que se rebelaba contra ellos. Y era un buen objetivo, mejor odiar a los médicos que a su familia por quererla. Pero su madre y su hermano seguían sin acostumbrarse a la idea de que estaba bien. Y eso mismo le pasaba a los demás. Por eso había decidido marcharse.

–¿Has tenido novios? –le preguntó Rhys.

–No muchos. No me ha ido muy bien en ese aspecto.

–¿Por qué?

–No me gusta que lo sepa todo el mundo.

–Y alguno de esos novios se lo contó a todo el mundo.

Sienna asintió con la cabeza.

–Como todos, estaba intentando protegerme. Pero la gente cambia cuando se entera y yo no quiero... no quiero ser sólo eso. Sí, es parte de mí, pero no soy sólo eso. Tengo otras cosas que ofrecer y es mejor que la gente no lo sepa.

–¿Y piensas ir tapada hasta el cuello para siempre?

–Tal vez –Sienna sonrió–. Pero voy a empezar de nuevo en otro sitio.

–¿Y si te enamorases de verdad?

Casarse no era una alternativa. Su familia había pasado por un infierno por culpa de su enfermedad y ella no pensaba hacerle eso a nadie. Y tampoco quería abandonar su recién encontrada libertad.

–Eso no está en el horizonte. Por el momento, sólo quiero vivir la vida.

–¿Y qué ha dicho tu familia de este viaje?

Sienna se puso colorada. Su familia no sabía ni la mitad. Pensaban que estaría en Australia un mes antes de irse a Reino Unido. No sabían nada sobre el viaje a Perú porque no había querido preocuparlos innecesariamente. Se lo contaría más tarde, cuando estuviera hecho, cuando tuviese más confianza.

–Les parece bien.

Despreciable, eso era él. Debería contarle la verdad, pensó Rhys. Pero si se lo contaba, Sienna se enfadaría y tenía la impresión de que su título no iba a impresionarla en absoluto, al contrario. Una ironía cuando la mayoría de las mujeres soñaban con casarse con un médico. Un médico rico a ser posible.

Él era más que rico y le gustaba que Sienna no lo supiera. Le gustaba compartir aquella atracción tan básica. ¿Por qué tenían que profundizar?

Y, sin embargo, ya estaban profundizando. Su historia lo había conmovido de verdad.

«Es parte de mí, pero no soy sólo eso».

Tenían mucho en común, más de lo que él querría admitir. Los dos habían vivido un trauma que los había definido como personas. Sienna estaba decidida a superar el suyo, él nunca podría dejar atrás el pasado, nunca podría olvidar. Pero cuando estaba entre sus brazos se sentía mejor. ¿No podía tener eso durante unos días?

Él nunca había sido una persona particularmente egoísta, pero estaba firmemente convencido de que Sienna no tendría por qué enterarse. Pasarían unas vacaciones fabulosas, él la ayudaría a descubrir lo maravilloso que era su cuerpo, lo deseable que era.

Y luego volvería a su trabajo como nuevo, lleno de energía y satisfecho. No lo había pasado tan bien en mucho tiempo, era como si hubiese vuelto a la vida.

–Háblame de tu cicatriz –dijo Sienna entonces.

Rhys apretó los labios, recordando. Los recuerdos no se alejaban nunca el tiempo suficiente. Y nunca hablaba de ello, con nadie.

–Tuve un accidente de pequeño, montando en monopatín.

Había oído el chirrido de los frenos del coche… demasiado tarde. Recordaba la mirada de Theo mientras se desangraba, su silencioso ruego. Si hubiera parado cuando su primo se lo pidió, si no hubiera estado tan decidido a ser el más rápido, el mejor…

Rhys sacudió la cabeza para apartar los recuerdos.

Él no hablaba de la cicatriz, con nadie.

Se dio cuenta entonces de que llevaba mucho tiempo en silencio y Sienna estaba mirándolo. Intentó sonreír, pero la pregunta seguía en los ojos azules.

Necesitaba distraerla, de modo que la tomó en brazos para llevarla al cuarto de baño, el peso de su cuerpo transformando un momento de angustia en un momento de masculino placer. Consiguieron entrar en la ducha los dos y Sienna rió, aplastada contra la pared.

–¿Qué haces?

–Me gusta llevarte en brazos. Me hace sentir como un hombre primitivo.

–Ah, claro, y yo soy la frágil hembra. Qué moderno.

–¿Qué vas a hacer, demandarme? –bromeó él, acariciando sus pechos con la boca–. Además, te gusta, no lo niegues.

El patético chorro de agua que caía del grifo apenas era capaz de mojar su gloriosa melena. Ojalá estuvieran en su apartamento, pensó. Su cuarto de baño tenía una ducha para dos personas y la presión del agua era fantástica. Podría tomar la alcachofa y mojarla por todas partes, besarla por todas partes. Su apetito por ella era insaciable.

Y Sienna parecía compartirlo porque pasó las manos por su torso, acariciando cada músculo, cada tendón.

–¿Cómo te mantienes en forma?

–Navegando.

Siempre que tenía tiempo libre salía a navegar para buscar la libertad en el mar, el sol y el silencio.

–¿Tienes estos músculos de navegar? –Sienna empezó a explorarlos con la boca además de las manos.

–Oye, que navegar no consiste en disfrutar del sol y comer pastelitos de cangrejo. Es muy duro.

–Yo nunca he ido a navegar.

–Pues deberíamos ir algún día.

Deberían hacerlo todo.

–¿Me llevarías a tu camarote?

Rhys apenas podía contestar.

–Te llevaría... al armario donde guardo las velas. Estarías muy sexy en mi Spinnaker.

–¿Dónde sueles navegar?

–En... –Rhys se detuvo a tiempo. ¿Dónde le había dicho que vivía, en Melbourne? No podía pensar cuando lo acariciaba. Afortunadamente, ella no parecía darse cuenta de que no había contestado–. ¿Qué quieres, Sienna?

Sienna no contestó con palabras. En lugar de eso, dejó que sus actos hablasen por ella, acariciándolo donde más le gustaba.

–¿Te duele... de anoche?

–En realidad, sí. Me duelen un poco las piernas.

–Tal vez deberías tumbarte y dejar que yo hiciera algo.

Rhys no podía pensar y no se le ocurría nada que decir. De modo que ella podía ser la jefa.

–Muy bien.

Salieron de la ducha y, sin secarse, cayeron sobre la cama, abrazados. Su sonrisa era tan seductora que Rhys tuvo que cerrar los ojos. Sienna se colocó de rodillas sobre él, acariciándolo con las manos, la boca y el pelo, tocándolo donde él quería. Para mantener el control tenía que hacer un esfuerzo titánico, pero dejó escapar una exclamación cuando ella empezó a montarlo...

–Se supone que yo debería hacer eso.

Sienna rió, sacudiendo la cabeza, moviéndose arriba y abajo hasta que la tensión era intolerable y casi no podía respirar.

***

Sienna colocó cuatro almohadas bajo su cabeza y miró a Rhys, que estaba apoyado en su pecho, acariciándola distraídamente. Casi le daba pena interrumpirlo, pero tenía ganas de hablar, de conocerlo mejor. Quería romper esa sobria fachada y ver lo que había detrás.

Había mucho más en Rhys Monroe de lo que él daba a entender, estaba segura.

–Tienes unas manos muy suaves. ¿No tienes callos del trabajo?

Él levantó la cabeza, desconcertado.

Sienna le mostró sus manos.

–Mira, no son muy bonitas, ¿verdad?

Tenía callos de sujetar las baquetas durante horas y horas. Pero las manos de Rhys eran suaves, algo sorprendente si se dedicaba a la construcción.

–En realidad, tus manos son muy prácticas. Agarras muy bien. Buena fricción –Rhys sonrió, travieso.

–¿Te gustan? –Sienna las miró, sorprendida.

–No hay nada en tu cuerpo que no me guste.

–¿Y por qué tú no tienes callos en las manos?

Él se encogió de hombros.

–En realidad, trabajo en el interior.

Sienna estaba a punto de seguir preguntando, pero Rhys la distrajo enterrando la cabeza entre sus piernas.

–¿Por qué decidiste tocar la batería? Es raro en una chica.

Le encantaba mirar hacia abajo y ver la cabeza de Rhys entre sus piernas. Le encantaba la libertad de dejar que la acariciase con la boca mientras hablaban, como si fuera lo más normal del mundo.

–Quería hacer algo. No podía hacer deporte y no tenía fuerza para los instrumentos de viento. Y el piano me parecía aburrido, quería hacer ruido.

–Para demostrar que estabas ahí, ¿eh?

Ella levantó la cabeza para mirarlo. Era muy perceptivo y la entendía tan bien que no dudó en abrirle su corazón. Sí, había querido demostrar que estaba allí, que existía. No quería vivir como un ratoncillo, sin atreverse a respirar por si su débil corazón no lo soportaba.

–Me gusta mucho el ruido.

–¿Y por qué unas vacaciones en Australia?

–Quería relajarme una semana antes de empezar el gran viaje. En Sidney hay tiendas, bares, diversión, playa… mientras no vea ninguna de vuestras serpientes o arañas, soy una turista feliz.

Rhys soltó una carcajada.

–No suele haber serpientes y arañas en la ciudad. No creo que tengas ningún problema.

–Pero son venenosas, ¿verdad? Cada vez que entro en la ducha miro alrededor, por si acaso.

–Me ducharé contigo durante el resto de tus vacaciones, ¿qué te parece?

–Muy bien –Sienna sonrió.

–¿Y por qué ese gran viaje?

–Tengo que hacer algunas de las cosas de mi lista.

–¿Qué lista?

–Las cosas que quiero hacer antes de morir, ya sabes.

Rhys levantó la cabeza.

–No sabía que estuvieras a punto de morir.

–Bueno, con un poco de suerte no me voy a morir ahora mismo, pero es hora de controlar mi propia vida y hacer las cosas que siempre pensé que no podría hacer.

–¿Por ejemplo?

–Cosas tontas –Sienna se puso colorada. No iba a contarle que él la había ayudado a hacer algo que jamás pensó que pudiese hacer–. No tengo intención de subir al Everest o ser la primera persona en poner el pie en Marte o ganar un premio Nobel. Quiero decir meterme en una fuente un día de sol, comer demasiados perritos calientes… ese tipo de cosas.

–Eso no son tonterías –dijo él–. No pensarás hacer nada peligroso, ¿verdad? Nadar con tiburones o caminar sobre brasas encendidas. ¿No pensarás demostrar tu existencia de ese modo?

–No, no. No es una cuestión de arriesgarse tontamente. Es saber que estoy viva, que no doy la vida por sentado. Quiero vivir a tope, disfrutar de cada momento.

Los dos se quedaron en silencio un momento y, cuando lo miró, él parecía estar a miles de kilómetros.

–¿Estás dispuesta a aprovechar este momento? –le preguntó luego, deslizando las manos por sus muslos.

Sienna sintió que le ardía la cara. Era ridículo sentirse avergonzada cuando llevaban horas en la cama, pero aquella intimidad no era sólo física. Estaba hablando con una libertad con la que no había hablado antes. Rhys no la juzgaba, sencillamente la escuchaba, haciéndola sentir más sexy que nadie, además. Una combinación muy peligrosa. Nunca imaginó que un hombre la miraría así o lo embriagador que sería sentir aquello.

Incapaz de evitarlo, levantó un poco las caderas, invitándolo...

Sienna volvió a caer sobre el colchón, las almohadas en el suelo después del último encuentro, su frente cubierta de sudor. Pero Rhys no había terminado de explorar su cuerpo y su vida.

–¿En qué trabajas?

–Ahora no hago nada, pero he hecho todo tipo de trabajo para ahorrar algo de dinero: en bares, en tiendas, como secretaria temporal, en estudios de grabación.

Había trabajado mucho porque no quería usar el dinero de su hermano, aunque él no dejaba de ofrecérselo. Quería ser libre, que no la controlase nadie. Quería hacerlo todo sola.

–¿No quieres dedicarte a la música de manera profesional?

–La música es un estilo de vida genial, pero no.

–¿Y dar clases?

Sienna arrugó el ceño.

–No sé...

–Pocos días de trabajo, muchas vacaciones...

–Eso demuestra lo poco que sabes sobre el mundo de la enseñanza –dijo ella. Además, para hacerlo tendría que seguir estudiando y no tenía tiempo. Lo más importante en su agenda era viajar a sitios con los que siempre había soñado. Luego buscaría un trabajo en Reino Unido y tomaría una decisión. Lo ideal sería trabajar como voluntaria, ayudar en áreas donde necesitasen ayuda de verdad. Pero también tenía que comer.

–¿Qué piensas hacer?

Algo importante, algo útil. Algo que la llenase.

–Aún no lo sé. ¿Eso importa?

–Pero quieres hacer algo positivo, dejar tu marca.

Demasiado astuto, pensó Sienna.

–Serías una buena profesora –insistió Rhys–. Los profesores son importantes.

–Hablas como mi hermano. Él es constructor… bueno, lo era. Ahora se dedica al mercado inmobiliario.

–Ah.

Sienna quería hablar de cosas comunes, quería que algo los uniera además de aquella atracción tan poderosa. Pero él era tan reticente a hablar de sí mismo…

–¿Tú construyes casas?

–¿Eh? Ah, sí –Rhys apartó la mirada–. Pero sigue hablándome de esa lista tuya. ¿En ella están incluidos los orgasmos múltiples?

Rhys seguía dentro de ella, las abrumadoras sensaciones aún reverberando en su cuerpo y en su cerebro cuando le preguntó:

–¿Y tú? ¿Hay cosas que quieres hacer antes de morir?

–Sí, imagino que sí –contestó él.

Aunque podría morir en aquel momento siendo un hombre feliz. No, en realidad quería volver a tenerla otra vez, no sería feliz hasta que tuviese más de ella. Mucho más.

Sienna había dicho que quería vivir el momento, aprovechar la vida. Y Rhys se dio cuenta de que cuando estaba con ella se sentía más vivo que en muchos años. Sienna era adictiva. La suavidad de su piel, su sabor, sus gemidos mientras hacían el amor, sus caricias. Estar con ella era como una descarga de adrenalina.

Pero sólo era sexo, se dijo. Hacía tiempo que no estaba doce horas en la cama con una mujer.

Aunque en realidad no era sólo sexo. Sienna era interesante y Rhys quería saber más cosas de ella. Tenía un punto de vista diferente sobre la vida, quería aprovecharlo todo, no desperdiciar ni un segundo... y le gustaría que le contagiase esa actitud.

–Creo que deberíamos hacer un intercambio.

–¿Eh? –murmuró Sienna, con los ojos cerrados.

–Algo que tú quieres por algo que yo quiero.

Sienna quería meterse en una fuente durante un día de calor. Eso no sería tan difícil. Pero él podría enfrentarla con algunos retos más interesantes, hacer cosas que no olvidase nunca. Le parecía importante que no lo olvidase porque tenía la sensación de que él no iba a olvidarla. No iba a olvidar el día que la conoció y, desde luego, no iba a olvidar la primera vez que sus labios se rozaron.

–¿Trato hecho?
Ella abrió los ojos entonces.
–¿A qué clase de cosas te refieres?
Rhys se encogió de hombros.
–Todo tipo de cosas, como en tu lista. Vamos a hacer algunas de esas cosas esta semana.
–¿Quieres que intercambios mi lista por la tuya?
Se sintió intrigado al ver que se ponía colorada.
–Exactamente. ¿Qué te parece?
–Bien, pero me da un poco de miedo lo que pueda haber en tu lista.
Rhys soltó una carcajada.
–Nada ilegal, cariño.

Capítulo Ocho

Sienna despertó temprano y notó que le dolía todo el cuerpo. Rhys no estaba de broma al decir que quería ver de qué era capaz. La había llevado al límite y más allá.

Su cuerpo disfrutaba de esa liberación y, sin embargo, una parte de ella quería más.

Un par de veces durante la noche, Rhys se había vuelto hacia ella para tomarla de nuevo casi con desesperación. Como si estuviera buscando algo de ella. Pero Sienna no sabía qué era.

Le gustaría que hablase de sí mismo. Ella estaba acostumbrada a escuchar a la gente, a que le contasen sus problemas, pero Rhys era muy reservado. No decía nada con palabras, aunque sí con actos. Y se enterraba en ella como si la satisfacción física que le proporcionaba pacificase algún demonio dentro de él.

Sienna giró la cabeza para mirarlo. Su expresión era relajada, sus largas pestañas reposando sobre unos pómulos altos, su boca tan sensual. Estaba segura de que tenía necesidades, como todo el mundo, y que tenía penas, pero no sabía cuáles eran y no sabía si tendría tiempo para averiguarlo.

Él abrió los ojos y miró alrededor, adormilado.

–Tenemos que salir de esta habitación –Rhys apartó la sábana para levantarse de la cama–. Vamos, luego nos ducharemos. Ahora mismo se me ha ocurrido algo que debes hacer al menos una vez en la vida.

Sienna se puso la falda y buscó la camiseta, que estaba arrugada bajo la cama. Sonriendo, Rhys le ofreció su camisa y ella la aceptó. No se molestó en ponerse sujetador y tampoco en abrochar todos los botones porque, de repente, no le preocupaba la cicatriz. Era muy temprano y, además, llevar su camisa la hacía sentir sexy.

–Vamos, antes de que se me ocurra una idea mejor.

Riendo, la llevó hacia la escalera mientras ella observaba, encantada, su vitalidad y su buen humor. Por una vez, Curtis no estaba en el mostrador de recepción y Rhys tomó una bolsa que había en el suelo antes de llevarla hacia la playa.

–¿Qué vamos a hacer?

–Jugar al voleibol.

–Oh, no.

–El biquini diminuto no es obligatorio –Rhys le hizo un guiño–. Bueno, lo sería si fuera nuestra playa privada... aunque en ese caso sería una playa naturista. Tristemente, no lo es, así que estás bien como estás.

–De verdad, yo no sé jugar con pelotas.

Rhys soltó una carcajada y ella rió también.

–Tengo la impresión de que lo vas a hacer bien. Además, es temprano y no hay nadie mirando.

«Sólo tú».

Sienna lo vio sacar una pelota de la bolsa. Lo hacía todo sin esfuerzo, con una gracia natural.

Rhys se pasó la pelota de una mano a otra, divertido al ver que ella hacía una mueca.

–Pensé que querías vivir la vida a tope.

Sienna levantó las manos para atrapar la pelota torpemente cuando se la tiró.

–Seguro que tú eras de los que practicaban todos los deportes, pero yo no. Fútbol, rugby…

–Críquet, baloncesto, natación.

–Y todo se te da bien.

–Todo se me da de maravilla.

Sienna levantó una ceja mientras Rhys volvía a tirarle la pelota.

–Veo que eres muy humilde.

–Es un eslogan familiar.

–¿En tu familia hay un eslogan?

La sonrisa de Rhys desapareció.

–Hazlo mejor, sé el mejor, busca la excelencia.

–Vaya –murmuró ella, impresionada.

–Tenemos que cumplir con nuestro deber.

–¿Tenéis un deber?

–Sí, claro, una responsabilidad.

A Sienna se le cayó la pelota... otra vez y Rhys tardó tres minutos en darse cuenta de que no mentía al decir que no era lo suyo.

–Con un poco de práctica llegarás muy lejos.

Riendo, dejó la pelota sobre la arena y tomó su mano para dar un paso por la orilla del mar.

–Se me ha ocurrido algo de mi lista –dijo Sienna.

–¿Ah, sí?

–Quiero ir al famoso puente de Sidney. ¿Has cruzado el puente alguna vez?

–Lo he cruzado cientos de veces, andando y en coche.

El famoso puente del puerto de Sidney era fundamental para moverse por la ciudad porque conectaba el centro financiero con la zona norte.

–No, quiero decir por encima –dijo ella–. Ya sabes, te llevan por encima atado con arneses...

El buen humor de Rhys desapareció. De todas las cosas que podrían hacer, Sienna quería ir precisamente al puente. Un puente que siempre estaba lleno de gente haciendo fotos. Él no quería que le hicieran fotos con una mujer y menos una mujer tan guapa como Sienna porque, con toda seguridad, alguien las vendería a alguna revista. Estaba de vacaciones, escapando de su vida. Era su momento de fantasía y quería protegerlo.

–Yo tengo un plan mejor para hoy.

–¿Qué puede ser mejor que la vista desde el puente?

–Se me ocurre algo que sólo podemos hacer hoy. Ahora mismo, vamos.

Sienna lo miró con una cara muy rara, pero le dio igual. Estaba muy ocupado pensando en qué podían hacer sin llamar demasiado la atención. Se sentía culpable por engañarla, pero había pasado toda su vida adulta tragándose el sentimiento de culpa... ¿por qué lo molestaba ahora? Lo único que podía calmarlo era tenerla entre sus brazos, temblando. En ese estado de felicidad, se sentiría absuelto.

–Ven –Rhys tiró de ella para aplastarla contra su pecho–. Tenemos que movernos.

De vuelta en el hostal, pasaron frente al mostrador de recepción saludando a Curtis, que parecía extrañamente nervioso. Por un momento, Rhys sintió pena por él. El pobre trabajaba tantas horas.

Una vez arriba, dejó que Sienna monopolizara la ducha durante unos minutos mientras él intentaba trazar un plan de acción. Tenía que pensar en algo. Pero el sonido de la ducha lo hizo recordar algo... agua, una fuente. Tenía que haber una en la ciudad.

Tuvieron que correr mientras iban hacia el andén, pero a Sienna le estorbaba el bolso y, riendo, Rhys se lo colocó en bandolera.

–Lo llevo yo, no te preocupes.

Poco después subían al tren, mezclándose con la gente y compartiendo una sonrisa de complicidad.

De repente, Sienna tuvo la fantasía secreta de estar a solas con él en el vagón, por la noche, sin ningún otro pasajero y...

–¿Lo has hecho alguna vez en el tren? –le preguntó Rhys.

Aparentemente, tenían las mismas fantasías. Sonriendo, ella negó con la cabeza, pero admitiendo con los ojos que estaba pensando lo mismo.

–Entonces habrá que añadirlo a la lista.

***

El parque era precioso, sorprendentemente verde en aquella época del año. Pasearon durante un rato hasta encontrar un sitio donde los árboles y arbustos formaban un refugio natural... y entonces Sienna oyó el tintineo de una fuente. Tras los arbustos estaba la fuente más patética que había visto en toda su vida.

–¿Hemos venido a ver esto?

Rhys sonrió, encantado consigo mismo.

–Estamos en pleno verano, no esperarás cataratas en medio de la ciudad. Hay restricciones de agua.

Sienna miró la fuente, atónita. ¿Pensaba que aquello era mejor que subir al puente?

–Un niño no podría meterse ahí y mucho menos dos adultos.

–No, es verdad.

–Y no hace tanto calor.

–No –Rhys la tomó por la cintura para besarla.

–¿Crees que un par de besos van a convertir esto en una experiencia inolvidable?

Él no parecía ni remotamente arrepentido.

–Lo siento, Sienna. Contigo no soy yo mismo.

Sienna soltó una carcajada. Le gustaba tanto estar con él que le daba lo mismo dónde estuvieran. Se sentía más relajada que nunca. Y era muy agradable pasear sin llevar nada sobre los hombros, sintiendo la brisa de la mañana atravesando la camiseta. Rhys era tan simpático con ella, tan divertido, tan detallista. No esperaba nada más de él. Había sido sincero desde el principio: la deseaba y cuando se marchase de Sidney todo habría terminado. Era ella quien tendría que olvidarlo.

–Gracias –le dijo, impulsivamente.

–¿Por qué?

–Por todo. Porque puedo confiar en ti.

El brillo de sus ojos grises desapareció de repente.

–Sienna…

–¿Qué pasa?

–Tengo algo que decirte.

Ella pensó que su corazón se había parado. Ocurría algo malo, estaba segura.

–No me digas que tienes novia.

–No, no es eso –Rhys intentó sonreír–. ¿Quieres ese papel?

–Bueno, pero sólo voy a estar en la ciudad unos días más. Y tú también.

«No lo estropees, Rhys», pensó. Pero su expresión seria la asustó de verdad.

–No estarás casado.

–No.

–Entonces no estás casado y no tienes novia. ¿Tienes algún problema con la ley?

–No, yo… –Rhys dejó escapar un suspiro–. Por favor, Sienna, déjame terminar.

Debería hacerlo, pensó Sienna. Por fin iba a contarle algo sobre sí mismo y ella lo estaba interrumpiendo. Tal vez porque no quería saber nada. No quería que destrozase la ilusión y estaba a punto de hacerlo, podía verlo en sus ojos.

Rhys respiró profundamente…

Y entonces oyeron un grito. Sorprendidos, se miraron el uno al otro. Un segundo después oyeron un coro de gritos y exclamaciones y, sin decir nada, los dos se dieron la vuelta para correr hacia un grupo de gente que se había reunido frente a los columpios.

–Está sangrando... –dijo alguien–. Podría tener una conmoción cerebral, que alguien llame a una ambulancia.

–Perdone, déjeme pasar. Soy médico.

Sienna se detuvo de golpe mientras la gente se apartaba para dejar paso a Rhys.

Los siguientes segundos parecieron transcurrir a cámara lenta. Lo único que Sienna podía oír era «Soy médico» una y otra vez. ¿Rhys era médico?

En el suelo había una niña de unos doce años con una herida en la cabeza. Una de sus piernas estaba doblada en un ángulo poco natural...

Sienna cerró los ojos, sabiendo que tenía la pierna rota. Luego volvió a abrirlos para mirar a Rhys, que estaba en cuclillas frente a ella.

–¿Cómo te llamas, cariño?

La pobre estaba lívida, pero él apartó el pelo de su cara con un gesto lleno de compasión.

–Katie.

–Katie –la niña y una mujer muy pálida a su lado, seguramente su madre, contestaron a la vez.

–Hola, Katie, yo soy el doctor Maitland, pero puedes llamarme Rhys –mientras hablaba, pasaba las manos por su cabeza.

Sienna reconocía esa expresión: estaba evaluando, analizando, decidiendo lo que debía hacer. Cuando tocó la pierna, la niña lanzó un grito.

–Tranquila, tranquila. Vamos a arreglar eso, ¿de acuerdo?

Hablaba en voz baja, pero Sienna podía oírlo.

–Mis amigos van a venir a buscarte en una ambulancia. ¿Has viajado en una ambulancia alguna vez?

–¿Es médico? –Sienna oyó que preguntaba alguien.

–Aparentemente, sí –contestó ella.

–¿Y sabe lo que hace?

–Rhys lo hace todo bien, no se preocupe.

Sobre todo, mentir.

No podían haber pasado mucho más de cinco minutos cuando llegó la ambulancia, pero para entonces Rhys lo tenía todo controlado. Incluso había conseguido que la madre y la niña sonrieran un poco.

Uno de los sanitarios le ofreció un koala de peluche y la niña enterró la cara en él.

–Hola, Rhys. No te puedes alejar del trabajo, ¿eh? –bromeó después–. Ni siquiera estando de vacaciones.

Él no se molestó en replicar y se limitó a contarle lo que había pasado.

El experto doctor hablando de la condición médica de su paciente, tan cómodo en medio de una situación de emergencia...

Sienna sabía que le escondía algo, pero aquello... ¿algo de lo que le había contado sería verdad?

Sí, le decía su tonto corazón. Esos momentos entre sus brazos eran lo más real que había vivido nunca.

Pero había sido sexo, nada más. Y un estúpido

juego para él. Por alguna razón, aunque no entendía cuál podía ser, Rhys se había inventado un personaje y lo había interpretado desde el principio.

¿Por qué no le había contado quién era? Le había mentido, ésa era la verdad. Lo único que parecía ser cierto era que estaba de vacaciones.

Los ojos de Sienna se llenaron de lágrimas; lágrimas de pena, de orgullo herido, de desilusión.

¿Por qué, por qué? ¿Por qué la había engañado cuando ella había sido tan sincera con él?

Rhys ayudó a Melissa y Simon a poner cómoda a Katie en la ambulancia, agradeciendo que fuese un equipo de su hospital. Había imaginado que sería así porque estaban en la zona.

Ni siquiera había vuelto a pensar en Sienna hasta ese momento porque necesitaba concentrarse por completo en la situación. Siempre le dolía cuando el paciente era un niño porque veía los ojos de Theo, su petición de ayuda, la luz apagándose...

Pero esta vez sí había podido ayudar, sí había podido hacer algo. Esta vez la niña se pondría bien.

Pero su corazón seguía acelerado mientras intentaba colocar a Katie en la camilla.

Y no podía pensar en lo que Sienna debía de estar sintiendo en ese momento. Había estado a punto de contarle la verdad cuando oyeron los gritos porque no podía soportar más seguir mintiendo...

Había sido una idea tan estúpida, inventar un nombre, una profesión. Y, sin embargo, no podía lamentarlo del todo.

Pero, maldita fuera, Sienna se había enterado de la peor manera posible.

Por fin se atrevió a mirarla y, al ver un brillo de furia en sus ojos, giró la cabeza. Aún no podía dejar a Katie y hasta que así fuera no podría hablar con ella.

–No se preocupe, señora. La niña está en buenas manos –oyó que decía Steve, el conductor de la ambulancia–. Ha tenido suerte de encontrarse con el mejor médico de urgencias de todo Sidney. El doctor Maitland es fantástico, la niña se pondrá bien.

–Steve, hay que llevarla al hospital de inmediato.

–Nosotros nos encargamos de todo, Rhys. No tienes que venir.

–Sí, tengo que ir. Tengo que lavarme y firmar el informe de todas maneras.

Rhys buscó a Sienna con la mirada antes de subir a la ambulancia. Quería ofrecerle al menos una sonrisa de disculpa, decir que se verían en el hostal. Sabía que eso no sería suficiente, pero era mejor que nada.

Pero cuando miró alrededor descubrió que Sienna había desaparecido.

Capítulo Nueve

No había podido volver al hostal inmediatamente, retenido por gente en el hospital que parecía creer que había desaparecido de la faz de la tierra... sólo porque llevaba unos días de merecidas vacaciones. Y le tomaban el pelo, diciendo que no era capaz de alejarse de allí. Si hubiera podido escaparse antes, lo habría hecho. Por una vez, no quería estar en el hospital ni un segundo más de lo necesario.

No había ni rastro de Sienna cuando volvió al hostal y sus cosas habían desaparecido. Rhys esperó en la puerta, paseando por la acera, pero no volvió a verla.

Y ahora, por la mañana, volvía a estar allí. No pensaba irse hasta que la viera, desesperado por contarle la verdad, por darle una explicación, sabiendo lo enfadada que estaría.

Además, tenía que devolverle su bolso. Cuando por fin llegó al hospital con Katie se había dado cuenta de que seguía llevando su bolso en bandolera. Ni siquiera había pensado en ello mientras trataba a la niña, tan concentrado estaba.

¿Por qué le importaba tanto Sienna?, se preguntaba. Sólo era una aventura de vacaciones, nada más que eso, y unos días después se marcharía de allí. ¿Y cómo iba a arreglarlo, además?

Había sido un idiota.

No sabía si Sienna estaba tomando medicación… Después de una operación de corazón, un paciente normalmente tenía que medicarse durante mucho tiempo. Rhys miró su bolso, que llevaba guardado en una bolsa. No se había atrevido a abrirlo por discreción, pero tal vez debería hacerlo.

Lo primero que vio fue un cuaderno forrado de tela. Y sabía lo que era. No, ya había hecho el tonto más que suficiente, no iba a leer el diario de Sienna. Aunque una parte de él desearía hacerlo. Para entenderla mejor.

Pero cuando lo apartó para buscar algún frasco de medicinas, un trocito de papel salió volando y, antes de guardarlo, lo leyó automáticamente… y se sintió decepcionado.

Por fin, a las dos de la tarde, Sienna apareció, flanqueada por sus amigas. Y, como había imaginado, lo fulminó con la mirada.

–Sienna –la llamó.

–No tengo intención de hablar contigo. De hecho, me parece que ni siquiera sé tu nombre.

–Me llamo Rhys.

–¿Rhys Monroe?

–No.

–¿Y te dedicas a la construcción, Rhys?

–No.

–Ah, qué malo eres –lo regañó la chica sudafricana.

Rhys no le hizo caso.

–Te dejaste el bolso…

–Ah, sí.

–¿Quieres que te lo devuelva?

–Por supuesto.

–Entonces, ven conmigo.

–Puedes dármelo aquí mismo.

–No, te lo daré cuando hayamos hablado un momento... a solas.

–No creo que tengamos mucho que decirnos. Me mentiste, fin de la historia.

Rhys la estudió, percatándose de que parecía cansada. De hecho, parecía haber adelgazado en unas horas.

–Si quieres el bolso, ven conmigo.

Quería alejarse de todos esos ojos curiosos y estar a solas con ella de nuevo. Y sabía que iría con él. Aunque sólo fuera porque tenía su medicación y su pasaporte.

Sienna no dijo nada. Sencillamente, salió del hostal y esperó en la acera para ver en qué dirección quería ir. Y, a pesar de su enfado, Rhys no pudo evitar una sonrisa. ¿Qué haría si le dijera lo guapa que estaba cuando se enfadaba?

Sienna lo siguió, echando humo por las orejas. Apenas había podido pegar ojo en toda la noche y durante el día no había sido mejor. Intentaba divertirse como una turista más, pero no era capaz de prestar atención a nada de lo que la rodeaba. No podía dejar de pensar en Rhys, Rhys el médico.

Pero era por eso por lo que estaba con él, porque quería respuestas. No quería nada más, ¿no? No quería volver a acostarse con él.

Sin embargo, era en lo único que podía pensar estando a su lado. Qué diferente le parecía ahora. Tan guapo como el día anterior, pero aún más lleno de energía, de pasión.

–¿Dónde vamos?

–Sube al coche.

Sienna miró el lujoso descapotable.

–¿Tu coche? ¿Has traído tu coche a Sidney? Desde… ¿de dónde dijiste que eras?

–No estamos aquí para hablar de mi coche, Sienna. Venga, sube.

–¿Has oído hablar de la expresión «por favor»?

–Sube, ahora.

Si no tuviera su bolso en la mano se daría la vuelta de inmediato. Y si no tuviera en sus manos algo incluso más precioso, saldría corriendo como un atleta olímpico.

Pero tenía que ir con él.

Media hora después, Rhys dejó el coche en un aparcamiento.

Caminaba delante de ella, moviendo su bolso para tentarla, y Sienna tuvo que seguirlo, enfadada, a punto de decirle lo que pensaba de él.

La llevó a un bar donde sonaba música de guitarra española y, después de señalar una mesa, se acercó a la barra y pidió algo de beber.

Sienna se sentó, sin mirarlo, fingiendo que no estaba interesada en lo que hacía.

Rhys volvió con dos cervezas y se sentó frente a ella.

–Sienna…

–Me mentiste.

–Sí –dijo él.

–Te inventaste un nombre, toda una historia sobre quién eras.

–Sí, es verdad.

–¿Y te parece bien?

–No, no me parece bien. ¿Pero y tú? ¿Qué pasa con esa lista de intenciones? Asombrosa es decir poco.

–¿Qué pasa con mi lista? Que yo sepa, no es asunto tuyo.

–¿Ah, no? ¿La primera de las intenciones en esa lista tampoco tiene nada que ver conmigo?

Sienna sintió que le ardía la cara.

–¿Has leído mi diario? Dámelo ahora mismo. No es propiedad tuya, no tenías ningún derecho…

–No lo he leído. Pero una página cayó al suelo y no pude evitarlo, fue algo automático.

–¿Por qué abriste mi bolso?

–Me preocupaba que tuvieras dentro la medicación.

Ah, claro, al fin y al cabo era médico.

–Además, ¿qué importa que lo haya leído? Lo escribiste para que se leyera, para eso se escriben las cosas.

–No digas tonterías. Escribir los objetivos de uno hace que se vuelvan más reales y te ayuda a llevarlos a cabo.

–¿Y eso es lo que era, un objetivo? –Rhys tomó el papel y empezó a leer–. *Acostarme con alguien que no sepa nada de mi problema de corazón.*

–¿Y qué?

Era una fantasía y Rhys no tenía por qué haberla leído. Además, jamás pensó que se haría realidad.

–¿Entonces te valía cualquiera? Sólo querías tener una experiencia con alguien a quien no conocieras... o sea, que tuve suerte. Pero podría haber sido Tim, Gaz o cualquiera que estuviese en el bar esa noche.

–Si no recuerdo mal, tú no te quejaste –dijo ella, intentando contener su enfado–. Y no lo digas como si te hubiera utilizado, es absurdo. Tampoco tú estás buscando una relación, ¿no? Ni siquiera me has dicho tu verdadero nombre o tu profesión... llevas dos días mintiendo sin parar cuando yo te he contado toda la verdad sobre mí.

–Sienna...

–Sólo fue un revolcón de una noche. Eso es todo lo que queríamos.

–¿Y tú cómo sabes lo que yo quiero?

–Nos habíamos conocido unos minutos antes de... bueno, lo que pasó en el almacén. Las relaciones no empiezan así, Rhys. Y, desde luego, en la nuestra falta lo más fundamental: confianza y sinceridad.

Tenía que salvar el poco orgullo que le quedaba. No podía decirle lo que había significado para ella.

Además, debía protegerse a sí misma. Ella no podía ofrecerle un final feliz a nadie porque podría no tener un futuro.

–Muy bien, ninguno de los dos ha sido enteramente sincero –dijo Rhys entonces.

–Puede que yo tenga secretos, pero sí he sido sincera contigo. Eres tú quien no lo ha sido. ¿Por qué tantas mentiras Rhys? ¿Qué tienes que esconder? ¿Quién eres en realidad?

–Aquí están tus tapas, Rhys –la camarera acababa de aparecer con una bandeja.

Sienna se volvió hacia la mujer.

–¿Cuál es su apellido?

–¿El mío?

–No, el de él –Sienna señaló a Rhys.

–Maitland –contestó la camarera, sorprendida.

–Gracias, Tracey –dijo él, intentando sonreír mientras la joven se alejaba, mirándolos como si estuvieran locos–. Come algo, lo necesitas.

No, lo que necesitaba eran respuestas.

–¿Quién eres y por qué me has mentido?

–Come algo y te contestaré. Tal vez, si tienes la boca llena, podré terminar una frase.

Enfadada, Sienna tomó un tenedor y probó una de las tapas.

–Me llamo Rhys Maitland y soy médico. Trabajo en urgencia en un hospital al lado del parque en el que estuvimos esta mañana y he vivido en Sidney toda mi vida.

–¿Y por qué no me lo dijiste desde el principio?

Rhys apretó los labios. Dijese lo dijese, iba a parecerle un completo imbécil.

–Quería escapar.

–¿De qué querías escapar? –insistió Sienna.

–Soy el heredero de un imperio multimillonario de ropa deportiva.

–¿Qué?

–Lo que has oído. Algún día heredaré la empresa de mi padre y mi familia es muy conocida en Sidney. Salimos en las páginas de sociedad y ese tipo de cosas.

–¿Estás diciendo que eres una especie de celebridad?

–Yo no, pero mi apellido sí lo es. Además, yo no lo he elegido –Rhys suspiró–. Intento evitar a los periodistas, pero hay eventos a los que tengo que acudir y la prensa escribe tonterías sobre mí.

Como el artículo sobre los solteros más deseados de Sidney que una revista había publicado unos meses antes y que había convertido su vida en un infierno.

–De modo que eres millonario pero trabajas en un hospital.

–Eso es.

–¿Por qué?

–¿Por qué soy médico?

–¿Por qué elegiste la medicina? ¿Por qué no trabajas en la empresa familiar?

–Porque quería hacer algo útil –contestó Rhys–. Pero volvamos a por qué te mentí. Mira, Sienna, estoy cansado de la gente a quien sólo le interesa mi familia o mi dinero y quería alejarme de mí mismo durante unos días, de las ideas preconcebidas que tienen algunas personas sobre mí. Imagino que eso es algo que tú puedes entender, ¿no?

En realidad, había sido una liberación. Siendo Rhys Monroe era libre para hacer lo que quisiera. Y lo que quería era estar con ella.

–Estoy de vacaciones esta semana porque me han obligado a tomar vacaciones en el hospital –Rhys siguió con su confesión–. Tim trabaja conmigo y toca en la banda durante los fines de semana porque le divierte.

–¿Y qué hacías en el bar?

–Fui a echarles un cable... y te conocí. Sabía que no eras australiana y pensé que tal vez no habrías oído hablar de mi familia.

–Ah, entonces tuve suerte –lo interrumpió ella, irónica–. El sitio adecuado, el momento indicado. La turista adecuada.

No era cierto. Él no se había portado así en toda su vida. Nunca había deseado a nadie como la deseaba a ella... pero no iba a decirle eso cuando Sienna lo miraba como si fuera Atila, el rey de los Hunos.

Además, también él estaba enfadado, aunque fuese algo irracional. Le molestaba de una manera increíble que Sienna hubiera querido acostarse con un extraño, con cualquier extraño. Él quería ser algo más que eso.

–Ninguno de los dos ha sido sincero del todo, así que parece que estamos en paz –le dijo, sin poder disimular su amargura.

Ella bajó la mirada y, de repente, su enfado desapareció. Quería irse de allí, llevarla a su apartamento para charlar tranquilamente. Y, desde luego, quería verla en su dormitorio.

Pero el pesar que había en sus ojos fue como un jarro de agua fría. Podía decir lo que quisiera, pero la realidad era que Sienna era vulnerable, más que las demás mujeres. Y que debía ir con cuidado. Para ella había más riesgos que para las demás personas... una visita al dentista podría significar un riesgo.

No había sitio en su vida para ese tipo de vulnerabilidad, no podía involucrarse más de lo que ya lo estaba. Tenía que proteger su herido corazón tanto como ella debía proteger el suyo.

–Come algo –insistió, tomando su mano. Había querido tomarle el pulso subrepticiamente pero, sorprendido por los latidos de su propio corazón, no era capaz de soltarla.

–¿Me estás tomando el pulso? –exclamó ella entonces–. ¿Cómo te atreves?

–Tienes mala cara.

–¿Has estado cuidando de mí todo este tiempo?

–¿Yo? No puedes acusarme de haberte tratado con guantes de seda, no es verdad. Tú sabes igual que yo que en la cama no nos hemos contenido en absoluto –dijo Rhys en voz baja.

–¿Es por eso por lo que no querías que cruzase el puente con arnés? ¿Estabas protegiéndome?

–No.

Sienna soltó una carcajada de incredulidad.

–Eres increíble, Rhys. Pensabas que no podría hacerlo, ¿verdad?

–No, no era por eso, Sienna.

Maldita fuera con su interrogatorio. Quería ser sincero con ella, pero lo último que deseaba era revivir su experiencia con Mandy. Y no quería poner ideas en su cabeza... ideas como, por ejemplo, vender su historia al mejor postor. Pero quería solucionar aquello como fuera.

–Es complicado...

–¿Todo es complicado contigo?

–No más que contigo.

–Yo no soy complicada, Rhys.

–Eso no es verdad. Hay cosas que no me has contado, que seguramente no le cuentas a nadie.

Sienna lo miró, enfadada. Ella podía ocultar algunas cosas, pero Rhys le había mentido.

–Todo el mundo se guarda ciertas cosas para sí mismo, pero tú... ¿algo de lo que me has contado es cierto?

Él dejó escapar un suspiro.

–Sólo te he mentido sobre mi apellido y mi profesión. ¿No podemos olvidarlo y empezar otra vez? Tú me conoces y yo te conozco a ti. Y quiero seguir retándote.

Rhys era el reto de su vida, desde luego.

–Creo que no te conozco en absoluto.

–Ven a mi apartamento conmigo. Vamos a charlar un rato tranquilamente.

Sienna se movió en la silla, incómoda. No sabía si era sensato...

Pero él pareció leer sus pensamientos.

–Te llevaré de vuelta al hostal cuando tú digas.

Capítulo Diez

Su apartamento estaba a dos minutos del bar y en la puerta había un guardia de seguridad que escondió su curiosidad mejor que la camarera. Una vez en el ascensor, Rhys marcó un código de seguridad y luego otro más cuando llegaron a la puerta del ático.

–Valoro mucho mi privacidad –le explicó al ver su cara de sorpresa.

–Yo nunca podría recordar un código tan largo.

Sienna miró alrededor, sorprendida. No mentía sobre el dinero de su familia. Su propio hermano era rico, pero aquello... era otro nivel. Los suelos, los muebles, los cuadros en las paredes, todo dejaba claro que, además de una fortuna, el propietario de aquella casa tenía muy buen gusto.

–¿Tiene alguna importancia?

–No, para mí no. Aparentemente, para ti sí.

–Sí, tienes razón –admitió él, haciendo un gesto de disculpa–. Bueno, pues éste soy yo –dijo luego, señalando alrededor.

Pero Sienna lo miraba a él. Ahora sabía más cosas sobre Rhys Maitland, pero seguía teniendo muchos secretos, muchas sombras. Y ésa era la razón por la que había aceptado ir a su casa.

Y ahora que estaba allí, Rhys no parecía saber qué hacer con ella.

–¿Vas a invitarme a un café?

–Ah, sí, claro. ¿No prefieres una copa de vino?

Sienna negó con la cabeza. Estaba en peligro de olvidar todo lo que había pasado y dejarse llevar por la atracción que sentía por él. Había algo irresistible en Rhys, en su silencio, en su fuerza y en la ocasional vulnerabilidad que veía en sus ojos.

Pero enamorarse de él sería una soberana estupidez. Estaba allí de vacaciones, una simple parada antes de seguir su camino. Y el matrimonio y los hijos no estaban en su lista. Por el bien de todos.

Aparte de los cuadros y la opulencia de los muebles, había poco que distinguiera aquel sitio de un apartamento de soltero: estanterías llenas de libros, una enorme televisión de pantalla plana, estéreo de última generación, consola de juegos y cantidades industriales de películas y cedés.

Pero cuando entraron en la cocina se quedó sorprendida al ver una de las paredes. Estaba cubierta de fotografías impresas en tela, en varios tamaños y grupos. Había paisajes, bodegones y retratos familiares. Todo en blanco y negro con ocasionales notas de color. El efecto era sorprendente.

–¿Tu familia? –preguntó Sienna, señalando una de las fotografías.

–Sí –respondió él–. Mi hermana es fotógrafa y hace cosas muy interesantes.

–Es muy original –murmuró ella, señalando la fotografía de una pareja de cierta edad–. ¿Tus padres?

–Sí.

–¿Y este niño eres tú?

Rhys asintió con la cabeza. Había también una

fotografía de dos niños de unos ocho y diez años. Y, claramente, uno de ellos era Rhys.

–¿Tu hermano?

Sienna vio que apretaba los puños.

–No, mi primo.

Que no quería hablar de ello estaba claro. Sienna volvió a mirar la fotografía y siguió adelante.

–¿Quién es tu hermana?

Con desgana, él señaló una de las fotografías.

–¿Es más joven que tú?

–Sí.

–¿Y tú eres el hermano mayor, protector y mandón?

–Probablemente. Pero yo diría que soy más bien responsable.

–Sí, claro, uno tiene que ser responsable, pero también tiene que vivir. Y dejar que los otros vivan su vida.

–Y también hay que reconocer que tienes una responsabilidad hacia los demás, especialmente hacia las personas a las que quieres.

Sienna lo sabía muy bien. Era por eso por lo que no quería tener relaciones. No quería amargarle la vida a nadie.

–Y el deber de ayudar en lo que puedas. El deber de no hacer daño, de no decepcionar a la gente –siguió Rhys, mirando la fotografía de su primo.

–¿Por eso fuiste a buscarme después de ver mi cicatriz? ¿Creías que yo era tu responsabilidad?

–No, no es eso. Fui a buscarte porque no podía hacer otra cosa.

–Porque era tu deber.

–No, Sienna, porque te deseo. Y sigo deseándote –Rhys dio un paso adelante–. Me gusta lo que siento cuando estoy contigo. Y me gusta lo que siento cuando te toco –dijo luego, poniendo las manos sobre sus hombros–. No sabes cómo deseo hacerte el amor.

La besó en los labios, despacio, conteniéndose. Se apartó para besar su garganta, pero luego volvió a buscar su boca, como si no pudiera apartarse, como si necesitara aquello.

Y la resistencia de Sienna se derritió. Cuando tomó su cara entre las manos para besarla con infinita ternura, una ola de emoción ahogó todas sus dudas. Estaba demasiado abrumada por las sensaciones como para darse cuenta de que Rhys había ido empujándola suavemente hacia algún sitio. Sin dejar de besarla, la había llevado a su habitación.

–Siento haberte mentido.

Ella supo que era cierto y decidió perdonarlo. Pero Rhys seguía escondiéndole una parte de él y no podía decir que no le importaba.

–Rhys... –empezó a decir.

Debería volver al hostal. No debería dejar que aquello se convirtiera en algo más, pero le resultaba imposible decirle que no.

Rhys empezó a quitarle la ropa y ella levantó los brazos, sin ofrecer resistencia. Desnuda otra vez, ofreciéndoselo todo. ¿Podría hacer él lo mismo por ella?

Su ternura era tan intensa que la emocionaba y la turbaba más que si la hubiese tomado en brazos para tirarla sobre la cama. Aquello era diferente, genuino... parecía amor.

Rhys dejó escapar un gemido mientras la tumbaba sobre la cama y ella enterró una mano en su pelo, sin decir nada. Pronto estuvieron unidos del todo y era tan profundo, tan completo. Como si nada pudiera interponerse entre ellos.

La más sencilla intimidad, la más sublime.

Una lágrima empezó a rodar por su rostro y, por fin, Sienna tuvo que romper el beso para respirar.

–Ésa es mi chica –murmuró él.

Se movían al unísono, sin parar, sin miedo, totalmente concentrados el uno en el otro.

Luego todo fue silencio y Sienna tuvo que recordarse a sí misma que debía respirar. Había visto su alma, pensó. Y sabía que él había visto la suya.

De repente, tuvo miedo. Rhys llevaba puesta una armadura. ¿De verdad podía creer lo que había visto en sus ojos?

–¿Estás bien?

Ella asintió con la cabeza, temiendo hablar por miedo a que le escapara un sollozo.

Con la cabeza apoyada en su pecho, se alegraba de no poder verlo porque necesitaba un respiro. Se sentía más vulnerable que nunca, temblando de emoción. Aquello había sido completamente diferente a las otras veces. Nada podía compararse con lo que había ocurrido entre ellos esa noche y la asustaba de verdad.

No debería ocurrir así, no debería haber ocurrido, punto.

***

La sentía temblar y se preguntó si se daría cuenta de que también él temblaba. Nervioso, Rhys intentó disimular pasando una mano por su pelo.

Nunca había sentido nada así. Lo que había ocurrido con Sienna era algo que escapaba a su comprensión. Era como si todos los fuegos artificiales de China hubieran explotado al mismo tiempo.

Quería adorarla, mostrarle cuánto lamentaba lo que había pasado, cuánto le gustaba. Tratarla como merecía que la tratasen, como algo precioso, querido. Y eso había hecho. Pero cuando se enterró en ella sintió como si el mundo se hubiera parado de repente. Y, por un momento, todo había sido perfecto.

¿Cómo era posible que aquello fuese cada vez mejor? La primera vez, en el almacén, había sido una locura, un torbellino... y pensó que jamás volvería a ser tan intenso. Pero lo había sido, una y otra vez. Con una mujer a la que apenas conocía. Una mujer en la que no sabía si podía confiar. Una mujer vulnerable cuya vulnerabilidad era una amenaza para su bien construido mundo.

No podía enamorarse de ella.

Él no era cirujano cardiovascular, pero había estudiado lo suficiente como para saber que Sienna necesitaría más tratamientos en el futuro. Y él no podría quedarse mirando sin hacer nada mientras alguien a quien quería...

Estaba metido en un buen aprieto.

Sienna sabía que era más de medianoche, pero no podía seguir durmiendo.

Con cuidado para no despertarlo, apartó el brazo de Rhys y fue descalza al cuarto de estar. Estaba inquieta y no sabía qué hacer, de modo que tomó un libro de la estantería y se sentó en un sillón.

Pero no podía concentrarse y las páginas del libro parecían reírse de ella. Tal vez no debería analizarlo todo, tal vez no debería intentar entender lo que le estaba pasando.

Frustrada, miró alrededor.

«Escribe algo en tu diario, describe las malditas cortinas», pensó.

Y eso hizo, poner orden en su mente describiendo la habitación. Ignorando las cosas importantes, como por ejemplo de quién era aquella casa y qué estaba haciendo allí llevando una camisa suya. Intentando olvidar la melancolía que seguía a la más completa felicidad.

Rhys había dicho que quería hacer el amor con ella, la había llamado «su chica».

Pero sólo eran palabras, charla de cama. Rhys seguía sin contarle muchas cosas, seguía siendo reservado a pesar de haberla invitado a su territorio.

¿Por qué no confiaba en ella? ¿Qué lo había hecho tan cauteloso? Sabía que no debía preguntar, que estaba involucrándose demasiado, pero no podía evitarlo. Uno siempre quería lo que no podía tener.

En su sueño, Sienna estaba embarazada y se llevaba una mano al abdomen, con una sonrisa en los labios. Estaba desnuda, sus pechos hinchados, sus pezones oscurecidos por el embarazo...

Su hijo, su familia. Rhys experimentó una satisfacción indescriptible.

Pero, de repente, vio imágenes del hospital; médicos y operaciones, tubos, agujas. Y luego no vio a Sienna en la mesa de operaciones, sino a un niño.

¡No, no, no!

El sonido de su propia voz lo despertó y tuvo que llevar aire a sus pulmones, angustiado. No era real, era un sueño. Intentó racionalizarlo….

Como médico sabía que, con los cuidados apropiados, Sienna podría tener un embarazo sin problemas. Sí, habría riesgos, pero nada que la medicación adecuada y los cuidados médicos no pudiesen paliar. Y sí, existía la posibilidad de que el niño heredase su problema cardiaco. Era una posibilidad pequeña, pero estaba ahí.

Como hombre, no querría arriesgarse. No quería sentirse impotente mientras veía sufrir a una persona querida.

De repente, sintió que le faltaba algo. Y cuando alargó una mano para tocarla y encontró vacío el otro lado de la cama se levantó de un salto.

Pero vio luz por debajo de la puerta y, después de ponerse unos calzoncillos, salió de la habitación. La vio sentada en un sillón del cuarto de estar, con la cabeza inclinada, escribiendo algo en su diario.

¿Qué estaba escribiendo?

Se quedó entre las sombras, mirándola. Qué poco sabía de ella, pensó. ¿Sería otra Mandy? ¿Estaría escribiendo sobre su aventura con él para venderlo a alguna revista?

Rhys quería compensarla por haberle mentido,

pero le había dado mucho más de lo que pretendía. Había bajado la guardia… ¿se habría dado cuenta Sienna? Tenía que dar marcha atrás, pensó. Aquello tenía que volver a ser una aventura sin importancia.

–¿Qué estás escribiendo?

Sienna levantó la mirada, con expresión culpable.

–Nada.

Rhys vaciló. No podía exigirle que le dejara ver lo que había escrito. Tenía que confiar en ella.

–Deberías estar en la cama.

En la cama, donde podía tenerla vigilada. Sienna había admitido que no quería nada serio de aquella aventura y él tenía que pensar del mismo modo. No más preguntas, no más ternuras, no más profundidades. No podía pensar en un futuro que podría hacerlo sufrir.

¿Debería estar en la cama? ¿Porque estaba preocupado por ella o porque la deseaba? Lo último que necesitaba era otro médico. Que le hubiera tomado el pulso en el bar, que hubiera insistido en que comiera, que hubiese buscado la medicación en su bolso…

No podía evitarlo. Siendo médico, era parte de su rutina diaria. Y si siguiera con él, Rhys intentaría protegerla tanto como Neil.

Debería volver al hostal. Marcharse para no llevarse la inevitable desilusión.

Pero la atracción era irresistible. Quería romper

esa barrera tras la que se protegía y sólo le quedaban un par de días más en Sidney.

«Vive la vida».

Pero cuando se abrazaron, añoró el encuentro libre y alegre del hostal.

Aquello era demasiado profundo, demasiado complicado. Rhys estaba empezando a importarle demasiado y la felicidad que le daba era tan increíble, tan indescriptible que no podía negarse.

Pasaron la mañana en la cama, poniéndose a prueba el uno con preguntas del Trivial, pero sin molestarse en leer las reglas. Charlaron sobre sus películas favoritas, canciones, momentos más embarazosos. Rhys bromeaba y reía. Ella hacía lo mismo. Y sabía que era sincero, pero seguía sin llegar a su corazón. La cicatriz en su pierna era la clave, pensó. Había visto cómo la tocaba en alguna ocasión, como sin darse cuenta, pero nunca hablaba de ella.

Cuando Rhys se quedó dormido, llamó a Curtis, el encargado del hostal, para pedirle que llevara su maleta a un sitio seguro.

–¿Con quién hablas?

Sienna se dio la vuelta, sorprendida por el tono acusador.

–Con el hostal. Le he pedido a Curtis que guardase mi maleta en algún sitio.

–Ah –Rhys bajó las persianas.

Sienna no podía soportar más ese silencio. Ella estaba acostumbrada a hacer que la gente hablase y tenía que hacer lo mismo con Rhys porque le importaba de verdad.

Incluso tenía un plan. Su cuarto de baño era magnífico y habían descubierto que en la caldera nunca faltaba agua… aunque estuvieran durante horas en la ducha. De modo que, por la tarde, sugirió que se duchasen juntos.

Sienna señaló el doble lavabo mientras se desnudaba.

–¿Sueles tener visitas?

–No –contestó él–. No suelo invitar a mucha gente.

–Entonces es un honor que me hayas invitado. Supongo que eso significa que confías en mí.

–Un poco –dijo él.

–¿Cuánto?

–¿Por qué lo preguntas?

–Porque quiero hablar.

–¿De qué?

–De ti, de lo que sientes.

–Oh, Dios mío…

Rhys la miró como si tuviera dos cabezas y Sienna soltó una carcajada.

–No te asustes, no es para tanto. ¿Qué tal si te toco y tú me dices lo que sientes?

–¿Tocarme? –él levantó las cejas–. Muy bien, eso me gusta.

–Genial, empezaremos por algo sencillo –Sienna inclinó a un lado la cabeza mientras acariciaba su hombro–. ¿Qué tal si te toco aquí? ¿Qué sientes?

–No está mal.

–¿Qué tal aquí? –Sienna deslizó un dedo sobre sus tetillas, haciendo círculos.

–Está mejor.

Entonces deslizó la mano por su abdomen.

–Mmmm…

–Tienes que expresarlo con palabras.

–Lo dirás de broma.

–No, hablo completamente en serio –Sienna tuvo que reír al ver su expresión asustada.

–¿No sería más sencillo si te dijera que me gusta me toques donde me toques?

–Gracias, eres muy amable –Sienna tomó el bote de gel para echarse un poco en las manos. Y cuando se puso de rodillas, lo oyó contener el aliento.

–Eso me gusta –dijo Rhys.

Sí, pero él no sabía lo que tenía planeado.

Sienna deslizó las manos por su muslo derecho, bajando hasta la rodilla y subiendo de nuevo. Rhys, como ella imaginaba, se había quedado callado. Pero después hizo lo mismo con la otra pierna, tocando la cicatriz...

Y notó el cambio inmediatamente. La tensión era palpable, se había puesto rígido. Sienna inclinó la cabeza para rozar la cicatriz con los labios.

–Sienna…

–¿Te duele?

–No.

Tocó la cicatriz de nuevo y notó que Rhys cerraba los puños.

Estaba molesto, era evidente. Pero Sienna volvió a tocar la cicatriz para ver su reacción. Y cuando la rozó con la lengua, notó que Rhys contenía el aliento.

–Sienna…

Su tono era de advertencia, de modo que se levantó, poniendo una mano en su torso. Sintiendo los latidos fuertes y recios de su corazón.

–¿Te duele, Rhys?

–No quiero hablar de eso.

–Cuéntamelo.

–No hay nada que contar.

–Esta vez soy yo quien te reta, Rhys. Háblame.

–¿Es que no sabes cuándo dejar las cosas en paz?

–Por lo visto, no.

Rhys la empujó contra la pared de fríos azulejos, sus muslos calientes entre los suyos.

–No quiero hablar de eso.

–Muy bien, no digas nada. Guárdate tus secretos, no dejes que nadie entre en tu vida. No dejes que nadie se acerque a ti.

–¿Quieres estar cerca de verdad? –la retó él, apretando sus caderas–. ¿Así de cerca? –murmuró, empujando su erección contra su vientre.

–Más cerca –respondió Sienna, pasándole una pierna por la cintura.

Rhys la besó entonces, un beso furioso. También ella estaba enfadada, pero el enfado desapareció al darse cuenta del dolor que intentaba esconder. La ferocidad de su pasión hizo que se derritiera. Sus piernas no la sostenían y el instinto le decía que se tumbase. Cuando cayeron al suelo, Rhys la penetró con una fiera embestida, pero Sienna agarró sus hombros, empujándolo aún más.

El agua caía sobre ellos y cuando lo miró a los ojos fue como estar en la fuente de sus sueños. Rhys podía hacerla sentir tan maravillosa. Pero sólo era su cuerpo y entendía lo que estaba buscando. Buscaba alivio, algo que lo hiciera olvidar la angustia momentáneamente. Quería que aquello lo hiciera sentir mejor.

¿Por qué no podía entender que se sentiría mucho mejor si le abriera su corazón?

Al sentirlo temblar, lo abrazó, envolviendo las piernas en su cintura mientras Rhys enterraba la cara en su cuello. Sienna lo besó en la garganta, en la frente, en la cara… y entonces notó un sabor salado.

¿Sudor o lágrimas? Tal vez las dos cosas.

–¿Rhys?

Él no contestó. Respirando agitadamente se levantó sin decir nada, tomó una toalla y salió del cuarto de baño.

Sienna se quedó donde estaba, el agua de la ducha lavando el sabor de sus propias lágrimas.

Capítulo Once

Cuando Sienna entró en el dormitorio Rhys ya no estaba allí. Temblando, se vistió y, armándose de valor, fue a buscarlo al salón. Estaba frente a la ventana, mirando a través de las persianas, y debió oírla porque se volvió inmediatamente.

–Estaba pensando que podríamos cenar comida tailandesa. ¿Qué te parece?

La sonrisa estaba allí, pero en ella no ponía el corazón.

Y el suyo se encogió. No serviría de nada, era imposible romper la coraza de aquel hombre. Una pena. Rhys tenía tanto que ofrecer.

Si dejase a alguien entrar en su vida, claro, pero no tenía intención de hacerlo. Tal vez con otra persona, pero no con ella. Y ella misma estaba yendo más allá del límite que se había marcado.

–Háblame de tu viaje.

De modo que tendría que seguir contándole cosas, pensó Sienna. Y lo hizo. Le contó sus planes de ir a Sudamérica, su deseo de ver las ruinas incas de Perú. Después pensaba ir a Londres para buscar trabajo y tal vez a Irlanda más adelante. En realidad, no sabía bien lo que iba a hacer, pero siguió charlando para que no hubiera silencios entre los dos.

Un par de veces él pareció a punto de decir algo, pero se detuvo.

No confiaba en ella, no la quería. No tenía sentido seguir allí pensó, descorazonada.

El curry no le supo a nada. Era como estar comiendo cartón, aunque aquél era su restaurante tailandés favorito. Tal vez tenía algún virus, pensó.

Sienna estaba hablando, como casi siempre, pero con cuidado de no tocar temas personales. Sabía que se contenía después de lo que había pasado en el baño. Le había preguntado por la cicatriz, invitándole a que le abriera su corazón.

Y la realidad era que había sentido la tentación de hacerlo. Pero no era posible. Por eso estaba tan enfadado, por eso la comida no le sabía a nada.

Sabía que le estaba haciendo daño con su silencio, pero no podía evitarlo. Y, sin embargo, quería confiar en ella. Incluso estaba empezando a pensar que quería algo más, que quería un futuro con Sienna.

Pero no podía ser. Rhys tomó un trago de agua. Sienna era una persona vulnerable y su vulnerabilidad lo hacía vulnerable a él.

Pero no quería que hiciera aquel viaje. No sabía por qué, pero algo le decía que era un error, que iba a pasar algo.

–¿Crees que es sensato hacer un viaje tan largo?

–¿Perdona?

–Tal vez sea demasiado complicado…

–¿Estás diciendo que no crees que pueda hacerlo?

–No, pero…

–No te atrevas a echarme un sermón sobre lo que puedo o no puedo hacer.

–Las ruinas incas deben de ser maravillosas, pero el camino hasta arriba es estrecho y largo.

–¿Y qué?

–Que tienes un problema de corazón, Sienna. Debes tener cuidado con la altitud, con el esfuerzo. ¿Has pensado en los antibióticos? ¿Llevas alguno contigo? Tú perteneces a un grupo de riesgo…

–Lo sé perfectamente, no tienes que decírmelo –lo interrumpió ella–. Eres médico, Rhys, pero no eres *mi* médico.

–No te estoy dando un sermón, sólo lo digo porque es de sentido común. Una mujer viajando sola…

–Por favor, estamos en el siglo XXI, las mujeres viajan solas a todas partes.

–Te diría lo mismo si fueras a Asia o al *outback* australiano –insistió Rhys. ¿Por qué demonios quería ir sola? ¿Por qué no iba con amigos, con su familia?, se preguntó, enfadado–. ¿Por qué viajas sola, Sienna?

–Porque quiero hacerlo. No necesito a nadie.

–¿Y si tuvieras un accidente? ¿Y si tuvieras algún problema?

–No voy a tener ningún problema. No soy débil, puedo hacer cualquier cosa.

–Muy bien, lánzate de cabeza contra la pared sólo para demostrar que puedes hacerlo –Rhys señaló el muro que separaba la cocina del salón–. Es tan absurdo como ir a un sitio tan lejano completamente sola. Es un riesgo absurdo.

–No lo es –replicó ella–. Estoy viviendo mi vida y no quiero que me digan lo que puedo o no puedo hacer.

–Pero yo sigo pensando que es un riesgo absurdo.

–Muy bien, pues entonces no estamos de acuerdo –Sienna apartó el plato, enfadada–. Tal vez debería volver al hostal.

Rhys tragó saliva. No podía dejarla ir.

–Hay serpientes, ¿recuerdas? Muchas serpientes. Y arañas, de las grandes.

–¿Por qué me haces esto? –Sienna suspiró–. Sólo nos quedan unas horas. ¿No podemos disfrutarlas en paz? Olvídate de mi viaje. ¿Por qué quieres estropearme el último día?

Buena pregunta. ¿Por qué lo hacía? Porque todo estaba mal. Le parecía que todo estaba mal salvo cuando hacían el amor. Entonces todo estaba bien.

–Olvídate de todo. No quiero que esperemos ni un minuto.

Pero la vacilación en su rostro era clara. Lo veía, veía el deseo aplastado por la inseguridad. Lo entendía, pero odiaba que fuera así. Quería que recuperase su sinceridad, su entusiasmo. Pero para eso, él tendría que ser sincero.

¿Podría darle lo que le pedía? ¿Podría hablar con ella? Parecía ofrecerle tanto si lo hacía...

Nervioso, se pasó una mano por el pelo. Estaba a punto de confesárselo todo, de confiar en ella sabiendo que no debía hacerlo.

¿Qué había dicho Sienna? «Las relaciones no empiezan así». Y era cierto. ¿Podría comprometerse con alguien que estaba a punto de desaparecer de su vida?

Sienna, la sirena de los ojos azules. Incluso ahora, en silencio, parecía llamarlo. Tentándolo a rendirse, a abrirle su corazón. Si la besaba, la pasión los haría olvidar todo lo demás. Pero, por mucho que lo desease, seguiría faltando una pieza y, por fin, la necesidad de arreglar las cosas con ella fue más fuerte.

Quería explicarle, quería que entendiese por qué aquello sólo podía ser una aventura, algo físico.

Pero Sienna no estaba mirándolo y eso lo hizo sentir mal. No quería que se apartase de él, no quería que volviera al hostal. Necesitaba tiempo.

–¿Por qué no vamos al cine? –sugirió–. Luego podríamos tomar un café y…

–¿Y qué? –le preguntó ella.

–Charlar un rato –dijo Rhys por fin. Deseaba hacerlo, cuánto deseaba hacerlo.

Sus ojos eran como dos piscinas azules y querría bañarse en ellos, pero el miedo lo retenía… el desesperado deseo de evitar más dolor. La presión en su pecho era inmensa. Todo parecía a punto de salir a la superficie, más que nunca, y él querría liberarse. Pero aquella carga era tan pesada y ella tan ligera que no podía estar seguro. Aún no.

–Conozco un café muy bonito cerca de aquí. La música no está muy alta y tienen unos sofás muy cómodos.

«No me dejes aún».

Lo que tenía que contarle podría hacerle daño,

pero si no lo intentaba seguramente sería peor. Y, aunque sabía que aquello iba a terminar pronto, no quería disgustarla más de lo necesario.

–Muy bien –Sienna se llevó una mano al pelo alborotado–. Espera, voy a arreglarme un poco.

Rhys dejó escapar un suspiro de alivio.

–Voy a ver si ponen alguna película interesante.

Respirando profundamente, entró en la cocina para buscar el periódico. Pero cuando estaba buscando la página de los cines vio algo en la de sociedad...

Era una fotografía suya. Estaba en la playa mirando a Sienna a los ojos. Y sus sentimientos estaban allí, para que todo el mundo los viera. También había una fotografía de Sienna sonriendo a la cámara...

La misteriosa novia de Rhys Maitland

Las mujeres solteras de Sidney suspiran de pena. Parece que el soltero más cotizado de la ciudad por fin ha sido cazado. Rhys Maitland, heredero de la fortuna Maitland, ha sido visto en la playa con una rubia que, como muestra la fotografía, lo tiene hechizado. Lo que empezó como una discusión acabó en reconciliación y debió de haber magia en el lujoso apartamento de Rhys porque aún no han subido las persianas.

Según nuestra fuente, Rhys Maitland se alojaba en el hostal, decidido a conquistar a la belleza rubia. Y, como muestran las fotografías, parece haberlo conseguido...

Rhys dejó de leer, atónito. La fuente tenía que ser Sienna. Habían vuelto a engañarlo, pensó. Que te ocurriese una vez era una desagracia, dos era una despropósito.

El miedo que sentía se transformó en furia ciega y aplastó el periódico entre las manos.

Sienna se pasó el cepillo por el pelo, intentando no entusiasmarse demasiado.

Pero algo había cambiado. Su amante, con el sistema de seguridad más impenetrable del mundo alrededor del corazón, parecía a punto de abrir la puerta. Aún había esperanza, pensó.

Pero se sobresaltó al oír que la llamaba desde la cocina. No, lo que la sobresaltó fue su tono.

Rhys apareció en la puerta un segundo después, lívido.

–Eres igual que las demás, ¿no?

–¿Cómo? –sorprendida, Sienna se dio la vuelta.

–¿Esto es lo que estabas escribiendo antes? –le espetó él, mostrándole el periódico–. ¿Quieres más detalles para poder venderlos?

–¿De qué estás hablando? –asustada, Sienna miró el periódico y se quedó helada–. Yo no tengo nada que ver con esto…

–Ya, claro. ¿Cuándo les diste la exclusiva? Lo sabías desde el principio, ¿verdad? Y yo me sentía culpable. No quería hacerte daño y tú has estado riéndote de mí todo este tiempo. ¿Qué es lo que quieres, quince minutos de fama, dinero?

–Rhys, mírame.

No podía pensar que había sido ella. No podía hacerlo.

–¿Mirarte? ¿Para qué?

–No puedes pensar que he sido yo…

–¿Cómo he podido ser tan tonto?

–Escúchame…

–Llévate esa basura y márchate ahora mismo –la interrumpió él.

–¡Espera un momento! –tenía que hablar con él, hacerlo entrar en razón, pero estaba furioso y no quería escucharla.

–No puedo creer que haya sido tan idiota. Y pensar que iba a contártelo… pensar que iba…

–Espera, por favor. Sea lo que sea, puedes contármelo.

–¡No, no puedo! –Rhys la miró con tal furia que, por instinto, Sienna dio uno paso atrás–. ¡No puedo confiar en ti!

Sienna no sabía qué hacer, qué decir. Le dolía el corazón de tal modo que pensó que se le iba a romper. No podía soportarlo más. Quería que se apoyase en ella, quería amarlo.

Y él pensaba que lo había atraicionado.

Podrían ofrecerle millones y jamás haría algo así. Pero estaba segura de que no podría convencerlo. Sólo podía intentar escapar de aquella agonía, esconderse de la triste verdad: que Rhys nunca había confiado en ella.

Intentó contener los sollozos, pero salieron de su garganta sin que pudiera evitarlo, unos sollozos profundos que la dejaban sin respiración. Sienna tomó su bolso con los ojos llenos de lágrimas y salió corriendo.

Capítulo Doce

El servicio de urgencias estaba lleno de gente, como de costumbre. Rhys había vuelto al hospital. No quería seguir de vacaciones y decidió que lo mejor sería tener algo que hacer para llenar el espacio vacío donde debería estar su corazón. Necesitaba un propósito y salvar un par de vidas debería ser suficiente. ¿No era por eso por lo que había estudiado Medicina? ¿Para redimirse?

Pero, a pesar de estar muy ocupado, se sentía vacío, solitario por los pasillos del hospital. Lidiaba con crisis, atendía pacientes y entraba en la sala de espera para hablar con los familiares. Normalmente se sentía satisfecho con su trabajo porque, aunque no pudiese ayudarlos a todos, sabía que al menos lo había intentando. Y lo agotaba lo suficiente como para mantener lejos a sus demonios. Pero aquel día no estaba funcionando, al contrario. Ese vacío dentro de él crecía por segundos.

Se sentía perseguido por la imagen de Sienna. Veía su mirada de dolor en los ojos de todos los pacientes, el ruego de que la escuchase. Y con cada minuto que pasaba se daba cuenta de que estaba equivocado. Tan equivocado que no sabía cómo iba a arreglarlo.

–Bueno, ya sé que la chica de la batería y tú os habéis hecho amigos –le dijo Tim, a modo de saludo, cuando se encontraron en la sala de médicos.

Rhys se encogió de hombros, esperando que lo entendiera como una señal de que no quería seguir hablando del asunto.

–¿De qué fue la operación?

–¿Qué operación?

–Ya sabes, las fotografías del periódico.

Él no había visto más que las dos primeras. ¿Había otras fotografías?

Tim se tocó el pecho.

–¿Algo de corazón?

–Una operación de válvulas –dijo Rhys, sorprendido–. Perdona, tengo que ir a... comprobar una cosa.

Salió de la sala de médicos y buscó el periódico a toda prisa en una sala de espera. Allí estaba, abierto en esa página para que todo el mundo pudiera verlo. Apretando los dientes, buscó las fotografías.

Después de haber conocido la tragedia durante su infancia, ¿se arriesgará Rhys Maitland a sufrir más enamorándose de una paciente?

Se quedó helado, sujetando el periódico. Había una fotografías de Sienna en la playa, con la camisa desabrochada. Y se veía su cicatriz. Habían ampliado esa zona marcando la incisión con un círculo rojo...

La cicatriz sugiere que la misteriosa belleza ha sufrido una operación importante...

Rhys tragó saliva. Eso confirmaba lo que ya sabía, que Sienna jamás lo habría vendido.

La intrusión de la prensa era algo a lo que él ya estaba acostumbrado, pero Sienna... ella no tenía experiencia, no sabría defenderse de aquel tipo de invasión. Sienna no querría que nadie viera esa fotografía...

Había sido un idiota y seguramente ella lo odiaría, pensó. Debería estar a su lado, consolándola, ayudándola. Y, en lugar de eso, la había acusado de orquestar aquella historia.

¿Y por qué? Se había portado como un tigre enjaulado, buscando alguna manera de atacar porque había estado a punto de abrirle su corazón y eso le daba pánico.

Frustrado, se pasó una mano por el pelo. Sienna no merecía eso y se sentiría mortificada por las fotografías. ¿Pero quién podía...?

Curtis, pensó entonces, el tipo de recepción, el que trabajaba tantas horas porque necesitaba dinero. Había sabido quién era él desde el principio.

Entristecido, Rhys siguió leyendo. No sólo contaban la historia de Sienna, también hablaban del accidente de Theo. Y volvían a publicar algunos de los comentarios más dañinos de Mandy. Tan inevitable, tan predecible, ¿tan cierto?

Sienna leyó el artículo una y otra vez. No podía dormir en el avión. No podía concentrarse en nada. Afortunadamente, la azafata fue muy amable y le dio una caja entera de pañuelos de papel.

Rhys, de catorce años entonces, y su primo Theo, de doce, estaban montando en monopatín por la calle. Un coche los atropelló pero, mientras Rhys caía rodando a un lado, Theo falleció aplastado por las ruedas.

Sienna miró las fotografías, no las de ella, sino las de Rhys. Su sonrisa... ¿su sonrisa enamorada? Eso decía el periodista, pero Sienna sabía que no era verdad. Ni siquiera confiaba en ella.

Ojalá hubiera sido algo puramente físico y nada más. Pero ya no era sólo algo físico, su corazón se había involucrado y se había roto en el proceso.

Su ex novia, Mandy, afirma que Rhys es un tullido emocional. Según ella, el soltero más cotizado de Sidney no se casará nunca porque está casado con su trabajo...

Era lógico que Rhys no confiase en nadie si una ex novia suya iba por los periódicos hablando de él, pensó. Pero no era un tullido emocional, al contrario. Era un hombre cálido, cariñoso, divertido y dolido. Muy dolido.

Ahora que conocía su historia veía que marcharse había sido lo mejor. Su relación nunca hubiera pasado de una aventura porque ella no podía darle lo que necesitaba: serenidad, seguridad, estabilidad.

Había cosas que nunca escribiría en su lista, reglas por la que tenía que vivir: una vida sin matrimonio y sin hijos. No podía prometerle un futuro a nadie cuando no estaba segura de poder llegar hasta el final. Pero debía ser un poco más seria observando esas reglas, se dijo a sí misma. Instintivamente, sabía que una relación duradera no era para ella porque no quería cargar a nadie con sus problemas. Y, además, no podría soportar que le rompiera el corazón. No era lo bastante fuerte. Y no podría soportar romperle el corazón a Rhys.

Que se hubieran separado era lo mejor para los dos.

Pero eso no podía evitar que las lágrimas siguieran rodando por su rostro.

Rhys intentaba tomar una decisión. Tenía el deber de encontrar a Sienna, aunque sólo fuera para pedirle disculpas. No podía dejarlo así.

Pero Sienna le había dicho que había sido una responsabilidad para los demás durante toda su vida y que eso era de lo que quería escapar.

¿Y su lista de buenas intenciones? No la había tomado en serio hasta aquel momento. Tampoco él había estado nunca en Perú... ¿por qué no iba a ir?

¿No debería vivir la vida, como quería hacer Sienna? Ella lo tentaba, lo hacía anhelar cosas que había olvidado tiempo atrás.

En la semioscuridad del almacén se dio cuenta de que había estado utilizándola, esperando que esos momentos de felicidad con ella compensaran por una vida entera sintiéndose culpable. ¿Y no lo había usado ella también para sentirse libre?

Pero luego había querido que le abriese su corazón. ¿Por qué? Si sólo era una aventura...

Pero no lo era. No era una aventura y a Sienna le importaba de verdad.

Él le había hecho daño y al hacerle daño a Sienna se había hecho daño a sí mismo. Lo mínimo que podía hacer era pedirle disculpas, explicarle lo que había pasado. No había podido pedirle perdón a Theo, pero debería aprovechar la oportunidad de pedirle disculpas a Sienna.

No sabía qué le depararía el futuro, nadie lo sabía. Lo único que sabía era que no podía seguir escondiéndose porque era demasiado tarde.

Sienna se le había metido en el corazón y tenía que evitar que ese corazón se rompiera para siempre.

Una enfermera entró entonces en el almacén y se detuvo al verlo apoyado en un armario.

–Perdone, doctor Maitland...

–No pasa nada, ya me iba.

Capítulo Trece

Después de cinco días de viaje y de una vida entera soñando, las ruinas de Machu Picchu estaban envueltas en niebla el día que Sienna las visitó. Qué típico, pensó ella.

Sabía que era una posibilidad porque no era el mejor momento del año, pero tenía tantos deseos de ir que no había querido esperar más. Nuevo año, nueva vida. Pero no habría magnificas vistas para ella. No subiría por el sendero, el que Rhys le había pedido que no subiera porque era un riesgo. Además, no quería hacerlo, lo único que quería era pasear entre las ruinas de aquella antigua civilización.

Y tampoco había ido andando, había tomado el tren, acostumbrándose poco a poco a aquella altitud y descansando siempre que podía. A pesar de todo, ella conocía sus limitaciones y ya era suficiente con estar allí, ¿no?

Pero no tenía a nadie con quien compartirlo, nadie con quien reír un rato. Estaba enfadada con Rhys por estropear la que debería haber sido la aventura más maravillosa de su vida, enfadada consigo misma por dejar que se la estropease.

Suspirando, se sentó sobre una piedra para descansar un rato. Era patética, pensó. Otros turistas pasaban frente a ella, pero no se había hecho amiga de nadie porque quería estar sola, como le había dicho a Rhys.

Por fin, se levantó para bajar al pueblo. Tal vez podría quedase un día más y probar al día siguiente. Y, mientras tanto, disfrutaría de las fuentes termales...

Cuando se dio la vuelta vio a alguien que parecía dirigirse hacia ella.

Estaba mirándola...

No, no podía ser. Tenía que estar alucinando. Sienna parpadeó un par de veces. Tal vez era algo relacionado con la altitud.

–Sienna.

–¿Rhys? –por primera vez en muchos años, Sienna estuvo a punto de desmayarse–. ¿Qué haces aquí?

Estaba allí, con un pantalón de color caqui, una camiseta de manga larga y al menos tres días de barba.

–Tenía que hablar contigo.

Sienna se quedó mirándolo, sin habla por primera vez en su vida.

Rhys había ido ensayando frases de disculpa en el avión, pero al tenerla tan cerca esas frases se esfumaron, como tragadas por la niebla.

–No quería que te fueras. Quería que te quedases.

–¿Eso es lo que tenías que decirme?

–Perdona, creí que podría... lo siento... –Rhys no sabía qué decir. Estaba bloqueado. Sólo quería abrazarla porque tal vez, si la tuviera entre sus brazos, podría decírselo al oído.

Cuánto necesitaba su consuelo, su perdón. Y cuánto deseaba consolarla. Estaba tan cerca que podría tocarla, pero parecía furiosa.

–Eres tú el que necesita una operación de corazón –dijo Sienna entonces–. Yo intenté abrirte el mío y tú no fuiste capaz… incluso después de decirme quién eras, seguías sin confiar en mí.

–Sólo quería olvidarlo todo –dijo él.

–Pero eso no funciona, ¿verdad?

Rhys apartó la mirada para no ver la acusación en sus ojos, las preguntas que había hecho y que volvería a hacer. Pero había ido tan lejos a buscarla que estaba comprometido y, si no hablaba de inmediato, la perdería para siempre.

–En realidad, tengo una memoria fotográfica. Y, como los elefantes, no puedo olvidar.

–¿Qué no puedes olvidar?

Rhys la miró. Esos brillantes ojos azules parecían ver dentro de él. Parecían estar pidiéndole que compartiera su carga con ella, casi como un ultimátum.

Y por fin, se atrevió. Le contó lo que no le había contado a nadie:

–Fue culpa mía.

–¿Qué?

–Mi primo, Theo.

–¿Por qué fue culpa tuya?

Rhys miró el suelo, incapaz de mirarla a los ojos.

–Estábamos montando en monopatín, haciendo una carrera, y un coche apareció de repente.

Se había asustado tanto al oír el ruido de los neumáticos que saltó del monopatín y cayó al suelo, sobre unos cristales rotos.

–No veo por qué fue culpa tuya –dijo ella–. Ese coche apareció de repente, a toda velocidad. Tú sólo estabas jugando como los demás chicos.

–Pero si no hubiese retado a Theo a una carrera, eso no habría pasado. Si no me hubiera hecho el listo, llamándolo, diciendo que no podía pillarme… él me pedía que parase pero no lo hice –con la cabeza baja, Rhys intentó concentrar la vista en un trozo de hierba–. No pude hacer nada, no pude ayudarlo. Me quedé allí, apretando su mano mientras se moría. Me miraba y…

Todos le dijeron que Theo no se había dado cuenta de nada, pero Rhys sabía que no era así. Lo había visto en sus ojos. Había visto una súplica, una petición de ayuda.

Recordarlo era insoportable, terrible. Pero lo había recordado miles de veces. Miles de horas reviviendo ese horror, esa angustia.

–Y ahora eres médico.

Sienna lo había entendido.

–No pude hacer nada por Theo. Se estaba muriendo y yo no pude hacer nada. No pasaré por eso nunca más, Sienna. Al menos, sin intentar hacer algo.

Sienna deseaba tocarlo, envolverlo en sus brazos, pero él estaba muy erguido, como a la defensiva, sin mirarla y con los puños apretados. Se daba cuenta de que aquello era muy difícil para él pero, aunque desearía que le abriera su corazón por completo, no quería que siguiera culpándose a sí mismo.

–Tú no hiciste nada malo –le dijo, dando un paso adelante–. Eras un crío y estabas jugando. Además, estuviste con él hasta el final, Theo no estuvo solo.

Era Rhys quien había estado solo. Un niño asustado llevando esa carga tan pesada. Sienna entendió cuál era su misión, el deseo que lo empujaba a trabajar sin descanso en el campo de la medicina. Tan ocupado luchando que había olvidado pasarlo bien, ser feliz.

Rhys había pagado un precio muy alto y no necesitaba estar con alguien que pudiera hacerle sufrir más. Después de lo que había descubierto sabía que tendrían que decirse adiós.

–¿Cuántos pacientes más, Rhys? ¿A cuánta gente tienes que salvar antes de perdonarte a ti mismo por algo que no fue culpa tuya? Eso no le devolverá la vida a Theo.

–Lo sé.

–No puedes culparte a ti mismo durante toda la vida. No creo que tu primo lo hubiese querido.

Rhys hizo una mueca.

–Sólo quería ayudarlo –dijo por fin, su tono tan triste que Sienna casi podía escuchar cómo su corazón se desangraba.

–Y lo hiciste, cariño.

–¿Qué tal la vista desde arriba?

Cambio de tema, pensó Sienna. No iba a contarle nada más y parecía tan tenso que no se atrevía a presionarlo.

–No he subido. No tiene sentido con esta niebla.

–¿Vas a hacerlo mañana?

Ella dejó escapar un suspiro.

–No lo sé.

–Yo había pensado marcharme, pero podría alquilar un helicóptero mañana. Tal vez, si no hay niebla…

–No puedes hacerme esto.

–¿Qué?

–No puedes aparecer y desaparecer, no puedes venir hasta aquí para decirme lo que tengo que hacer…

–¡No estoy preocupado por tu corazón, sino por el mío! –explotó él–. Me preocupo de ti, ¿eso es malo? Quiero cuidar de ti, Sienna. Eso es lo que hace la gente que se quiere. ¡Y no porque piense que estés enferma, sino porque te quiero!

Sienna se quedó callada. ¿Cómo era posible que esa frase pudiera hacerla sentir que estaba en la cima de las ruinas, mirándolo todo desde el cielo y, al mismo tiempo, la hundiera en una total desesperación?

Rhys estaba siendo sincero con ella, se había abierto completamente, le estaba ofreciendo...

–No puedes esperar que te diga que sí a todo –siguió él–. No puedes acusarme de tratarte como a una enferma cuando sólo estoy diciendo algo de sentido común. Y estoy harto de hablar –Rhys dio uno paso adelante para tomarla entre sus brazos.

Y Sienna, sin poder evitarlo, apoyó la cara en su pecho. No sabía quién de los dos temblaba más. Él murmuraba algo incomprensible mientras la besaba en la cara, en el cuello.

–No...

–¿No qué?

–No te vayas sin mí.

–Rhys... –Sienna lo empujó para mirarlo a los ojos–. No puedo prometerte eso.

–Sienna...

–Ese guardia nos está mirando como si estuviéramos a punto de cometer un sacrilegio sobre las ruinas.

–Si besarte es un sacrilegio, pienso ser el mayor de los pecadores –murmuró él.

–Rhys...

–Muy bien, de acuerdo.

–Vamos a algún sitio en el que podamos estar solos –Sienna se dirigió al autobús en el que había llegado allí–. Por cierto, ¿cómo has venido?

–En helicóptero.

–¿En helicóptero? ¿Por qué?

–Tenía que venir lo antes posible.

–Pero no has tenido tiempo de aclimatarte... puede que te marees con esta altitud.

–No es la altitud lo que me está mareando –dijo él.

Sienna miró por la ventanilla, pero cuando el autobús empezó a moverse volvió la cabeza. Tenía una pelea entre las manos y, por Rhys, sería mejor que la ganase. Porque no podría soportar hacerle daño.

Le había obligado a abrirle su corazón y lo amaba por haberlo hecho, pero estar con ella podría hacerle mucho daño.

–Siento mucho que sacaran una fotografía de tu cicatriz –dijo él entonces.

Sienna se encogió de hombros.

–Imagino que no hay manera de escapar de eso.

–No, pero debes vivir con ello. Sólo es una pequeña parte de lo que eres.

–Lo mismo digo.

Una vez en el pueblo lo llevó a su hotel, directamente a su habitación, y Rhys miró la cama doble.

–¿Esta vez no compartes habitación con nadie?

–No, necesitaba un poco de espacio –Sienna sacó su diario del bolso–. Nuevo año, nueva lista, nuevo diario. Pero hay cosas que no escribo, las cosas importantes de verdad –Sienna respiró profundamente–. No puedo estar con alguien para siempre, Rhys. No puedo tener hijos y por eso decidí que iba a vivir el momento. No puedo hacer promesas de futuro…

–¿Por qué no?

–Porque puede que no haya futuro para mí.

–¿Qué estás diciendo? –Rhys se había puesto pálido.

–Recuerdo cuando mi padre murió. Fue algo repentino, inesperado. Mi madre sufrió muchísimo y aún ahora, cuando la miro a los ojos, puedo ver… tú ya has sufrido suficiente, Rhys. No necesitas estar con alguien que podría no quedarse contigo para siempre. No quiero que pases por eso. No quiero dejar a un marido sin mujer, unos hijos sin madre.

–¿Quién dice que no vayas a vivir cien años? –replicó él–. Yo podría morir antes que tú. Podría pillarme un autobús.

–Rhys, no digas tonterías…

–No son tonterías. Quiero estar contigo para siempre, para el tiempo que tengamos. No puedo soportar la idea de vivir sin ti, Sienna. Estoy vivo ahora y quiero vivir ahora. Conozco los riesgos y tú los conoces también...

–Pero...

–Estamos en peligro cada día, pero eso no puede condicionar nuestras vidas. Tenemos que vivir, así de sencillo. Tu trabajo no es protegerme –Rhys tomó el diario y lo tiró al suelo–. Una vez me dijiste que la gente escribe cosas porque eso ayuda a que se hagan realidad o algo parecido, pero tú no has escrito que no quieras unir tu vida a la de otra persona. ¿Por qué?

–Porque no hace falta escribirlo.

–No –asintió él, tomando su mano–. Porque no es un objetivo, Sienna. Nadie quiere una vida solitaria y poca gente se niega a sí misma la posibilidad de amar a otra persona. Dices que quieres vivir la vida a tope, vivir el momento, pero no dejas que alguien la comparta contigo. Nunca pensé que serías tan derrotista.

–Yo no...

–La gente como yo no se ha pasado años estudiando y practicando para que luego tú te acobardes. Tú eres una persona completa y tienes que vivir una vida plena –Rhys levantó su barbilla con un dedo para mirarla a los ojos.

–Pero estoy rota...

–No, no lo estás. No más que yo, no más que la mayoría de la gente.

–Pero siempre querrás cuidar de mí.

–Pues claro que sí, ¿no es eso lo que hacen dos

personas que se quieren, cuidar el uno del otro? Pero no voy a asfixiarte, te lo juro. ¿Sabes lo que creo? Que tienes miedo.

Pues claro que tenía miedo, estaba aterrorizada.

–Yo también lo tengo, esto ha sido tan rápido, tan inesperado. Nos conocimos… ¿hace una semana? Pero sé que es lo que debemos hacer. Vamos a vivir ahora, Sienna.

No soltaba su mano y sus ojos parecían sujetarla. Ella intentó hablar, pero de su garganta no salía sonido alguno.

–Es demasiado tarde, ya estamos en caída libre –siguió Rhys.

–¿Crees que alguno de los dos ha recordado llevar un paracaídas? –consiguió preguntar ella.

–Cariño, tú eres mi paracaídas y yo soy el tuyo. Nada de miedos, Sienna.

–Algún día podrían tener que cambiarme las válvulas de este corazón mío. Podrían tener que operarme otra vez...

–¿Y qué? Si eso ocurriera, yo estaría a tu lado, apretando tu mano.

Los ojos de Sienna se llenaron de lágrimas.

–Apretar la mano de alguien es lo mejor que puedes hacer, lo único que puedes hacer para que no se sientan solos.

Rhys asintió con la cabeza.

–Sí, lo sé.

Sienna tomó su cara entre las manos.

–Entonces, durante el tiempo que dure, este corazón se quedará contigo.

El beso fue el más dulce de su vida. Se abrazaron

hasta quedar sin aliento, como si sus almas se estuvieran abrazando. Pero, inevitablemente, las caricias se volvieron sensuales y, como por un acuerdo tácito, se desnudaron poco a poco, sin decir nada, como si lo hicieran por primera vez.

El amor que había en sus ojos tan magnético como el deseo. Cuando se tumbaron desnudos en la cama no hubo más que profundos besos durante largo rato, palabras de amor, risas. Y luego se amaron, los brazos de Rhys aprisionándola pero sin sofocarla, al contrario. Cuando estaba con él se atrevía a hacer cosas que no se había atrevido a hacer nunca.

La vida nunca volvería a ser la misma. Nunca volvería a ser aburrida o solitaria, pensó Sienna.

–Por cierto, he pensado en tu trabajo. Si sigues interesada en hacer algo positivo.

–¿Qué trabajo?

–No digas que no inmediatamente, escúchame –Rhys se apoyó en un codo–. Tú sabes que los niños pasan miedo en el hospital, que se aburren.

–Sí, por supuesto que lo sé.

–¿Y tú sabes lo divertido que es hacer ruido?

–Claro.

–Musicoterapia –dijo Rhys entonces–. No sé cómo no se te ha ocurrido a ti.

–¿Quieres decir tocar la batería en el hospital?

–Eso es.

–¿En un hospital?

–No en cualquier hospital, en el mío. Podrías animar a esos niños… hay una zona aislada donde no molestaríais a nadie y para ellos sería genial.

No era mala idea, pensó Sienna, enterrando la

cara en su pecho para escuchar los fuertes latidos de su corazón. Era tan fuerte. Y había encontrado la manera de que estuvieran juntos, la quería en su mundo.

–Amor a primera vista, jamás pensé que fuera posible –murmuró Rhys.

–Dímelo a mí –asintió ella–. Entro en un bar y allí estabas tú, con ese aspecto feroz. Y, de repente, mi corazón ya no era mío. Te quiero, Rhys.

–Cásate conmigo, Sienna.

Se quedaron tumbados un momento, sin decir nada, escuchando los latidos de sus corazones.

–Muy bien, de acuerdo –dijo ella por fin.

Rhys la apretó contra su pecho.

–Ya no puedes escaparte –le advirtió–. Nos casaremos en cuanto sea posible. Mi familia y la tuya querrán una ceremonia y todo eso… y la prensa querrá fotografías.

Sienna levantó la cabeza para mirarlo.

–Ésa es la razón por la que quieres casarte conmigo, ¿verdad? Para dejar de ser Rhys Maitland, el soltero más cotizado de Sidney.

–Cariño, qué bien me conoces.

Riendo, ella lo abrazó, sabiendo que, por fin, había encontrado el amor verdadero.

No había nubes en el cielo por la mañana, de modo que aún había una oportunidad.

Apretando su mano, Rhys la miró y sintió que su corazón se hinchaba de alegría. No se había dado cuenta de lo solo que estaba, de lo aislado, hasta que conoció a Sienna. Tenía muchos amigos, salía con chicas y se dedicaba a algo que era su pasión, pero estaba solo.

Sólo había una persona a la que quisiera abrazar, una persona a cuyo lado quisiera estar para siempre.

–Tendremos que hacer nuevas listas. Por ejemplo, debemos apuntar… hacer el amor en un tren.

–Nadar con delfines.

–Hacer el amor en un avión.

–Hacer de extra en una película.

–Hacer el amor en un barco.

–Ver las pirámides.

–Hacer el amor en un autobús.

–Ir al carnaval de Río de Janeiro.

–Hacer el amor en una moto.

Sienna puso los ojos en blanco.

–Afeitarme la cabeza.

–Hacer el amor en un coche.

–Nadar con tiburones.

–Hacer el amor en una góndola.

–¡Caminar sobre brasas!

Rhys le hizo un guiño.

–Hacer el amor en un coche de caballos, un helicóptero…

–Ya, ya, lo he entendido –Sienna soltó una carcajada–. ¿No te has quedado aún sin medios de transporte?

–No –dijo Rhys–. Hacer el amor en un dirigible.

–Oh, qué romántico.

–Hacer el amor contigo siempre es una experiencia inolvidable.

Podría seguir, pero no iban a oír nada porque las aspas del helicóptero empezaban a moverse. Ella iba sentada al lado de la ventanilla y él abrazándola mientras sobrevolaban las ruinas. Rhys podía ver su hermoso perfil, los mechones de pelo rubio que se movían con la brisa.

Sí, la vista desde allí era increíble.